IONA AC ANDY

Llwybrau Breuddwydion

CHWARTER CANRIF O GÂN

# IONA AC ANDY

*Argraffiad cyntaf – 2004*

ISBN 1 84323 415 7



Dymuna'r cyhoeddwyr gydnabod cymorth
Cyngor Llyfrau Cymru.

*Argraffwyd yng Nghymru gan*
*Wasg Gomer, Llandysul, Ceredigion SA44 4JL*

Diolch i bawb sydd wedi ein cefnogi dros chwarter canrif ac wedi ein dilyn ar hyd llwybrau breuddwydion. Diolch i Wasg Gomer am roi cyfle i ni rannu ein profiadau a'n hatgofion gyda chi.

*Iona ac Andy.*

# Rhagair

Un o fanteision mawr gweithio i gwmni recordio yw cael cyfarfod cantorion o bob math, a chael rhannu eu brwdfrydedd a'u gobeithion, eu pryderon a'u breuddwydion. Yn fwy na dim, cael bod yn rhan o'u creadigrwydd, y grym hwnnw sy'n gyrru pob artist, boed yn beintiwr ar ganfas neu'n ganwr ar lwyfan. Does dim gwahaniaeth beth yw arddull y canu, yr un yw'r cynnwrf a'r hwyl. Mae Iona ac Andy'n perthyn i fyd hynod ac arbennig y 'canu gwlad', er eu bod yn medru ymestyn dros y ffiniau'n hawdd a chanu mewn sawl arddull gyda graen. Ond mae byd y canu gwlad yn fyd cynnes ac agos-atoch, a'r caneuon yn aml yn adrodd straeon bywyd-bob-dydd y gall y gynulleidfa a'r gwrandawr uniaethu â nhw yn hawdd. Does gan y canwr gwlad ddim ofn mentro i fyd y teimladau a'r sentiment: dyw'r hiraeth a'r dagrau fyth ymhell i ffwrdd, ac y mae hynny'n gwneud y chwerthin yn fwy o hwyl.

Mae Iona ac Andy wedi cymryd eu lle'n naturiol yn y byd hwn, ac wedi diddori cynulleidfaoedd, yn Gymraeg a Saesneg, drwy wledydd yr ynysoedd hyn, a'r tu hwnt. Yn wir, gwnaethant enw mawr iddyn nhw eu hunain yn Lloegr cyn penderfynu canolbwyntio ar ganu yng ngwlad eu mebyd. Allwedd eu cyfrinach yw'r undod amlwg sydd rhyngddynt, eu harddull gartrefol braf ar lwyfan – ac wrth gwrs, llais bendigedig Iona. Braint oedd cael bod yn rhan o'u gyrfa, a chael y pleser o rannu llwyfan gyda nhw sawl tro, a gwerthfawrogi eu proffesiynoldeb a'u dawn.

Rwy'n siŵr y bydd mynd ar y llyfr hwn, a diolchaf am y cyfle i gael rhoi gair bach o gyflwyniad fel hyn, gan ddymuno i Andy ac i Iona rwydd hynt, a digon o ganu, am chwarter canrif arall o leia!

*Dafydd Iwan.*

Mae wedi bod yn fraint i mi gael rhannu llwyfan sawl tro gyda Iona ac Andy. Maen nhw wedi cyrraedd y brig oherwydd eu bod yn dalentog, eu bod wedi gweithio'n galed, a'u bod wedi bwrw eu prentisiaeth yn y man sy'n cyfri, sef ar lwyfannau Cymru o flaen cynulleidfaoedd byw.

Mae Iona'n hollol gartrefol ar unrhyw lwyfan ac mae'n gwybod sut i ennill cynulleidfa. Rwy'n ei chofio hi unwaith yn ymddangos gyda Cherddorfa Gymreig y BBC mewn noson fawreddog yn Theatr Gogledd Cymru, Llandudno. Pan ddaeth hi i'r llwyfan gydag Andy, ei lein agoriadol i'r gynulleidfa oedd 'Fel arfer bydda i'n cyflwyno'r band un ar y tro, ond heno 'ma…' a dyna ni, roedd y gynulleidfa yng nghledr ei llaw. Dyna ei hiwmor naturiol hi, y ferch ddawnus o Ddyffryn Nantlle.

*Gwenda Owen*

Dim ond ar ôl dod i gadw gwesty'r Gresham yn Blackpŵl 'dan ni wedi cael y fraint o'ch nabod chi'n iawn, nid yn unig fel cantorion canu gwlad ar ei orau ond fel dau ffrind a dau gymeriad.

Dach chi wedi perfformio ar lwyfannau Prydain a'r cyfandir am chwarter canrif ond yn y pen draw Cymru yw eich cartref, a dyna pam 'dan ni, yma yn y gwesty, a Chymru gyfan, yn ffodus iawn eich bod am barhau â'r traddodiad o grwydro'r hen wlad yn diddori'r Cymry Cymraeg a chadw'r hen iaith yn fyw. Pob lwc yn y dyfodol,

*Tony ac Aloma*

Pam dilyn Iona ac Andy? Canu da, caneuon a geiriau da, digon o hwyl. Ond hefyd, cyfeillion da. Dim 'ffans' sydd gan y ddau yma, ond ffrindiau.

*Cledwyn Thomas (ffrind a ffan)*

Dwi'n ffan mawr o ganu gwlad ar ei ora' – dyna pam dwi'n mwynhau gwrando ar Iona ac Andy, yn enwedig yn y car. I mewn â'r gryno-ddisg, a throi 'Cerdded dros y mynydd' i fyny mor uchel ag yr eith hi. Y car yn gwibio ar draws y Bannau a finna'n gweiddi canu efo'r ddau. Grêt! Fedra i ddim credu 'u bod nhw wedi bod yn canu efo'i gilydd ers chwarter canrif, achos mae Andy'n edrych lot yn hŷn! Diolch i chi'ch dau am y sgyrsiau, ac am y cyfranaid pwysig dach chi wedi ei wneud i adloniant ysgafn yng Nghymru.

*Hywel Gwynfryn*

# Cynnwys

## Rhan 1

# Y Dyddiau Cynnar

# Stori Iona

Y tro cyntaf i mi gael fy nhalu am ganu oedd ar ben bws dwbl decar o Ben-y-groes i bentref bach del Nantlle. Ar Mam roedd y bai – fe wnaeth i mi ganu 'Y Deryn Du Pigfelyn' ac fe gefais dair ceiniog lwmp am wneud. Meddyliais ar y pryd fod canu i hanner dwsin o bobl yn eistedd ar ben bws yn ffordd hawdd o ennill arian ond feddyliais i erioed y byddwn i rywbryd yn canu i fwy o bobl a chael mwy na thair ceiniog am wneud!

Cefais fy magu yn ardal hardd a hudolus Dyffryn Nantlle. Bro hud a lledrith yw rhan uchaf y dyffryn hwn, ac yn wir aiff enw'r lle â ni'n ôl i gyfnod y Mabinogion, gan mai Lleu Llaw Gyffes yn y Bedwaredd Gainc oedd y Lleu a geir yn yr enw Nantlleu. Saif pentre Nantlle naw milltir o Gaernarfon ar y ffordd rhwng Pen-y-groes a Thal-y-sarn. Pentref y bardd R Williams Parry yw Tal-y-sarn, ac os trowch i'r dde wrth ei gofeb yn y pentref hwnnw a mynd heibio Bro Silyn, fe ddowch at un o olygfeydd syfrdanol Cymru – llyn Nantlle gyda'r Wyddfa a'i chriw o'i amgylch. Dotiodd llawer teithiwr ac arlunydd at harddwch y fan hon ac yn eu plith mae'r enwog Richard Wilson a wnaeth ddarlun olew 'Yr Wyddfa o Lyn Nantlle' sydd i'w weld bellach yn Oriel Walker yn Lerpwl. Mae'n amhosibl peidio â sylwi hefyd ar y pentwr mawr o lechi yn Nyffryn Nantlle, golygfa sydd, yn ôl rhai, wedi hagru'r dyffryn. Rhaid cofio eu bod wedi creu gwaith i nifer o'r bobl leol, gan gynnwys fy nau daid – un yn chwarel Pen yr Orsedd, Nantlle, a'r llall yn chwarel y Penrhyn.

Owen Myfyr Roberts oedd enw fy nhad a Nancy Roberts yw enw Mam. Roedd gan fy nhad saith o frodyr a thair chwaer ac fe'u ganwyd i gyd yn Nantlle i Ceren a T W Roberts (a oedd yn cael ei adnabod fel William Caeronwy). Er nad wyf yn eu cofio, gan y bu farw fy nhaid cyn fy ngenedigaeth ac i Nain farw pan oeddwn yn fach iawn, dysgais eu bod yn ddau berson cadarn a chryf iawn. Roedd Taid yn flaenor, yn arweinydd eisteddfodau ac yn amaethwr yn ogystal ag yn chwarelwr. Roedd yn Rhyddfrydwr i'r carn gan iddo fod yn un o ddilynwyr Lloyd George. Bu farw yn chwech deg pump oed yn ei filltir sgwâr yn Nantlle. Dyma englyn a ysgrifennodd fy nhad er cof amdano:

Ni flinodd fod yn flaenaf – yn uchel
Achos y Goruchaf;
E weithiodd hyd yr eithaf
Y garreg brin o'r graig braf.

Tra oedd fy nhad yn India yn cwffio dros ei wlad yn ystod yr Ail Ryfel Byd fe gafodd y gwaeledd erchyll hwnnw, y diciâu. Fe'i cludwyd i ysbyty yn Jeriwsalem ac yno, ar fynydd yr Olewydd, y treuliodd Nadolig 1944. Pan ddaeth adref bu yn ysbyty Llangwyfan, Sir Ddinbych, am flynyddoedd lle cafodd nifer o lawdriniaethau, yr olaf ohonynt i dynnu un o'i ysgyfaint. Un o'r ffrindiau a wnaeth tra oedd yno oedd y Parch. Harri Williams, ac ef yn ddiweddarach a briododd nid yn unig fy nhad a mam yn 1955 ond hefyd Andy a minnau yn 1980. Yn rhyfedd iawn, treuliodd tad Andy flwyddyn yn yr un ysbyty ychydig flynyddoedd cyn cyfnod fy nhad yno, a chael yr un lawdriniaeth.

Roedd yn anodd iawn mynd i weld Dad yn yr ysbyty yn Llangwyfan gan nad oedd gennym gar, felly aem ar y bws o Nantlle i Gaernarfon, o Gaernarfon i'r Rhyl ac yna byddai fy Wncwl Llion, oedd yn byw yn Llanelwy, yn mynd â ni yn ei gar i'r ysbyty. Er iddo gael dod adre, roedd Dad yn ddyn gwael a golygai hyn y gallai dreulio mwy o amser na thadau eraill gyda'i ferch. Treuliais oriau ar lyn Nantlle yn pysgota gydag ef; doeddwn i ddim yn hoffi pan ddaliai frithyll a'u lladd ond rhaid dweud eu bod yn flasus iawn wedi'u ffrio, a'u bwyta gyda thatws newydd a salad o'n gardd.

Er mai dim ond un ysgyfaint oedd gan Dad byddai'n cerdded gyda'i ffon bob dydd o amgylch y pentref ac un pnawn poeth o haf fe aethom ein dau gyda brechdanau i gerdded Mynydd Mawr. Mae gan y Mynydd Mawr dri enw, sef Mynydd Grug, Mynydd Mawr a Mynydd Eliffant, ac wrth ei odre mae olion preswylwyr cynnar yn y cytiau crynion sydd yno. Cefais wybod am y rhain gan ddau broffesor o'r Almaen a ddaeth acw i aros un tro, gan ddangos map i ni o gytiau'r Gwyddelod. Y diwrnod poeth hwnnw o haf, roeddem wedi dweud wrth Mam mai dim ond i waelod y mynydd yr oeddem am fynd ac y byddem adref erbyn amser te. Wel, mi wyddoch fel mae hi. 'Awn ni ymlaen at y bryn bach nesaf, Dad,' meddwn, a dyna fuodd hi hyd nes i ni gyrraedd y copa! Ia, fi a 'nhad anabl wedi cerdded yr holl ffordd i ben Mynydd Mawr! Ond wir i chi, am olygfa fendigedig – roedd hi'n bosib gweld Sir Fôn ac Iwerddon a phentrefi bach y dyffryn yn y pellter. Ni sylwom faint o'r gloch oedd hi ac erbyn i ni gyrraedd y gwaelod roedd yn dechrau tywyllu ac wrth gwrs roedd Mam o'i cho yn poeni amdanom ac ar fin galw'r heddlu i chwilio amdanom. Croeso oeraidd iawn a gawsom ganddi y noson honno! Ond roedd Dad a finnau wedi cael un o'r diwrnodau hynny na wnawn byth ei anghofio. Mae'r Mynydd Mawr yn dal yn agos at fy nghalon, a dyma lle bydd Andy a minnau'n cerdded yn aml i roi'r byd yn ei le.

Roedd Mam yn goginwraig wych. Fy hoff bryd oedd ar y Sul pan oedd yna weinidogion yn dod acw gan y caem ginio mawr ac yna te gyda phob math o deisen blât: y deisan afal orau dwi erioed wedi ei blasu, teisan wy, bara brith a bara menyn wedi eu torri gan Dad yn denau fel papur, gyda menyn fferm y Gelli arno, a phaned o de iawn – gyda dail, er mwyn i Anti Olwen, oedd yn byw drws nesaf, ddweud ein ffortiwn. Yna byddem yn cael swper o gig oer a thatws wedi'u ffrio, ac roedd hyn yn ddigon i'n cadw ni i fynd am wythnos.

Roedd yna ddwy siop fach yn y pentre ar un adeg, sef siop y Felin ac un fach iawn mewn tŷ wrth y capel, ond buan y caeodd y rhain, felly byddai fy Anti Bet ac Wncwl Tom yn dod â bocsaid o fwyd i ni o'u siop, Stanley, yn Llanllyfni, ar ddydd Gwener. Tad a mam Cefin Roberts (y Prif Lenor bellach a sefydlwr yr enwog Ysgol Glanaethwy) oeddent; chwaer i 'Nhad oedd mam Cefin a chofiaf fel y byddai ei frawd Alan, fy nghefnder, yn mynd i bysgota gyda Dad tra byddai Cefin a minnau'n chwarae ein gitârs.

Ond y capel oedd yn bwysig i'n teulu ni, gyda Nhad yn bregethwr cynorthwyol ac yn ysgrifennydd Capel Baladeulyn,

Nantlle, a Mam yn ei lanhau yn ddifrycheulyd bob wythnos. Gan nad oedd yna weinidog yn y capel, fy nhad oedd yn gwneud llawer o waith gweinidog a byddwn yn mynd gydag ef o dŷ i dŷ yn sgwrsio â phobl y pentref, yn enwedig os oeddent yn wael neu angen cymorth ysbrydol. Byddai fy nhad hefyd yn sgwennu i'r *Goleuad* a'r *Herald Gymraeg* ac felly byddai'n mynd ar y bws i gael newyddion y fro. Bûm mewn amryw i Gymanfa Ganu yn Nyffryn Nantlle a byddwn wrth fy modd yn eistedd gyda'r altos yn y galeri ac yn edrych i lawr ar bawb. Fe ddois yn gyntaf mewn arholiad sirol capeli Methodistiaid yn 1966 gan ennill llyfr emynau; byddwn yn swancio ar ddydd Sul gyda fy llyfr newydd oedd ag ymylon aur i'r tudalennau. Mae'n dal gen i heddiw.

Tenor ardderchog oedd fy nhad a soprano oedd Mam a byddem yn cael sesiwn go dda o amgylch y piano gan y cawn i wersi piano bob nos Fercher gan Miss Griffiths ym Mhen-y-groes. Byddwn yn dal bws gyda fy ffrind Wenna (neu Owenna Roberts i fod yn gywir), fferm y Bryn Nantlle ac roedd hi a minnau'n chwarae'r organ bob yn ail ddydd Sul yn y capel. Fe gafodd Wenna a finnau ddol un Dolig a dyna lle yr oeddem ni'n swancio o amgylch y pentref yn eu gwthio yn eu pram mawr – Wenna gydag Ifor (ia, bachgen gafodd hi) a minnau gyda Sioned y ddol. Roeddent mor real fel bod pobl yn meddwl eu bod yn fabis iawn! Mae Wenna'n byw ym Mhencaenewydd heddiw sydd ond ychydig filltiroedd o Chwilog ac mae'n athrawes uchel ei pharch yn yr ardal hon.

Doeddwn i ddim yn hoff iawn o ganu ar fy mhen fy hun felly ymunais â Rhian Hughes oedd yn byw drws nesaf i mi yn Nantlle; hi oedd y soprano a fi oedd yr alto. Roedd gan Anti Madge (mam Rhian) gar felly trafaeliem o amgylch y wlad yn mynd o steddfod i steddfod yn canu 'Blodyn Gwyn' a 'Nant y Mynydd'. Roeddwn yn dalach o lawer na Rhian – naci Rhian oedd yn llawer byrrach na fi – felly er mwyn i'n cegau a'n lleisiau ni gydweddu byddai Rhian yn sefyll ar ben bocs i fod yr un lefel â mi! Ar ben hyn, byddem ni hefyd yn mynd unwaith yr wythnos i Garreg Boeth, Clynnog Fawr, i gael gwersi canu ar fferm Mr Bob Roberts. Byddai ei fam yn eistedd ar ei setl gan lwytho glo ar y tân i'n cadw ni'n gynnes. Byddai Mr Roberts mor frwdfrydig yn ein dysgu fel y byddai'n poeri wrth drio canu rhai o'r nodau gan gynhyrfu'n lân os nad oeddem yn eu cael yn iawn. Dim ond wyth oed oeddem ni a byddem yn ceisio'n gorau i beidio â chwerthin am ei ben yn gwneud hynny, ond camp go anodd oedd hyn. Rwyf yn ddiolchgar i'm rhieni am dalu am wersi canu a phiano i mi er nad oedd y modd ganddynt i wneud hynny ar bensiwn rhyfel fy nhad.

Nid oedd gan Nantlle neuadd bentref, felly defnyddid festri'r capel i bob math o bethau. Y digwyddiad pwysig i ni'r plant oedd y 'Christmas Tree' sef cyngerdd Nadolig yr ysgol. Byddai'n rhaid cerdded am ryw chwarter awr o Nantlle Uchaf heibio'r llyn i lawr i'r pentref i gael ymarfer. Byddai yna gynnwrf mawr rhyngom am wythnosau a phan ddôi'r noson ei hun byddai llwyfan fawr wedi ei hadeiladu. Byddem i gyd yn canu neu'n actio ac wrth gwrs yn cyflwyno drama'r geni; angel oeddwn i bob blwyddyn er yr hoffwn petawn wedi cael cymryd rhan Mair ond wedyn doedd gen i ddim gwallt hir fel un Wenna Bryn. Ar ddiwedd y cyngerdd byddai Santa Clôs yn dod i lawr drwy ganol y festri gyda'i sach ar ei ysgwydd a byddem ninnau'n canu:

> Pwy sy'n dŵad dros y bryn yn ddistaw ddistaw bach?
> A'i farf yn llaes a'i wallt yn wyn a rhywbeth yn ei sach.
> A phwy sy'n eistedd ar y to ar ben y simdde fawr?
> Siôn Corn, Siôn Corn, Helô helô,
> Tyrd yma, tyrd i lawr.

Erbyn y llinell olaf roedd gennyf gymaint o'i ofn byddwn yn rhedeg at Mam gan guddio fy wyneb yn ei chôl ac yn aml bu raid iddi hi fynd i fyny'r llwyfan i nôl fy anrheg!

Fel pob plentyn arall byddai'r Nadolig yn amser cyffrous iawn yn ein tŷ ni. Cefais amryw o anrhegion gan Santa Clôs; dwi'n cofio gofyn am dŷ dol, a beth gefais i oedd byngalo gyda garej i'r car coch ffitio i mewn iddo, ac ar ben hynny cefais ddillad nyrs a doliau y byddwn yn eu rhoi mewn rhes ar y gwely fel dosbarth o blant ac yn eu dysgu i ganu. Ond yr un parsel y byddwn yn awyddus iawn i'w dderbyn bob blwyddyn oedd yr un drwy'r post o America. Byddai fy Anti Joyce o Galiffornia yn anfon pob math o bethau nad oeddent i'w cael yng Nghymru a dychmygwch fy nghynnwrf pan dderbyniais ddol Barbie un Dolig. Fi oedd â'r Barbie gyntaf yn Nantlle – os nad Cymru! Daeth hon mewn cês coch gyda wardrob i hongian ei dillad lliwgar. Roeddwn wir wrth fy modd â hon – llawer gwell na dol Sindy Rhian drws nesaf!

Ond yr anrheg orau a gefais oedd y gitâr. Prynais lyfr Burt Weedon *Play in a Day* i geisio dysgu chwarae ond o'r siom na weithiodd hynny. Cefais ychydig o wersi gan Pamela Tŷ Mawr oedd yn edrych fel Mary Hopkins ac yn canu'n debyg hefyd. Roeddwn wrth fy modd gyda'r offeryn hwn – llawer gwell na mynd at Miss Griffiths i Ben-y-groes bob pnawn Mercher ac yn ddiweddarach i Gaernarfon at Peleg Williams gan orfod dal bws yn hwyr yn ôl ynghanol gaeaf gwlyb ac oer. Roedd chwarae'r gitâr yn golygu y gallwn fod yn cŵl yn y chwedegau a chanu caneuon Tony ac Aloma a Dafydd Iwan, gan ddysgu'r cordiau o'u llyfrau heb symud cam o'r tŷ! Cafodd Rhian gitâr hefyd felly dyna ddeuawd hollol wahanol gan y ddwy ohonom. Aethom am wrandawiad i fynd ar sioe Stan Stennet i Fangor ond waeth i ni heb, gan iddo ddweud wrthym am fynd adref ac ymarfer mwy!

Canodd Rhian a minnau droeon mewn cyngherddau ac eisteddfodau ac fe gawsom wisgoedd i gyd-fynd â'n gilydd. Fe wnïodd Mrs Nottingham ffrogiau bendigedig i ni – rhai felfed brown a rhai glas – a'r rhain yn golygu ein bod yn edrych yn well na deuawdau eraill y dyffryn! Ysgrifennais y gân 'Ffrindiau' sydd ar ein halbwm *Eldorado*; cân hunangofiannol yw hi am Rhian a minnau gyda'n gilydd pan oeddem yn ifanc. Dyma bennill o'r gân:

Gwersi piano ym Mhen-y-groes
Gwersi canu'n para oes
Gwersi caru, torri coes
Ffrindia oeddem ni.
Mynd i'r ysgol Sul 'da chdi
Mynd i Steddfod yr Urdd 'da thi
Mynd i weld dy nain 'da thi
Ffrindia oeddem ni.

Nid Rhian oedd fy unig gyd-ganwr; roedd fy nhad yn denor bendigedig. Enillodd unawd i fechgyn o dan ddeunaw oed yn

Eisteddfod Genedlaethol Caernarfon ac mae'r fedal a enillodd gan Mam heddiw. Oni bai am y rhyfel a diffyg arian, byddai wedi cael gyrfa mewn canu mae'n siŵr. Ac yntau'n bregethwr cynorthwyol, awn gydag ef ar y Sul gan gymryd rhan yn ei wasanaeth. Canem emynau gyda'n gilydd ar ganol y gwasanaeth ac rwyf yn dal i ganu un o'r rhain heddiw, 'Mor Fawr Wyt Ti', ar lwyfannau mor bell â Phatagonia a Nashville, Tennessee. Roedd gitâr yn y capel yn beth newydd sbon yn y chwedegau a'r saith-degau ac nid pawb a fynychai'r lle oedd yn ei dderbyn chwaith! Roedd rhai o'r blaenoriaid yn meddwl fy mod yn berson drwg iawn yn dod â'r fath offeryn i dŷ Duw! Mwynhawn y profiad o gael canu mewn capel a'r hyn a fwynhawn fwyaf oedd cael gwahoddiad i dŷ rhywun ar ddiwedd y gwasanaeth i gael swper. Yn ogystal â chanu yn y capeli, awn o amgylch pentrefi'r ardal gyda Nhad yn cynnal nosweithiau mewn cymdeithasau. Byddwn yn canu gyda fy ngitâr, yna'n cyfeilio iddo ef ganu ac i orffen canem ddeuawdau gyda'n gilydd. Rhoddodd hyn sylfaen dda i mi i'r bywyd a ddilynodd.

Er mai ein teulu bach ni oedd y tlotaf yn Nantlle, ni chollais ar ddim; byddai Mam a Dad yn gofalu fod Sioned fy chwaer a minnau'n cael y gorau o bopeth. Roeddwn yn cael fy nifetha gan fy nhaid a nain Bethel, rhieni fy mam, a ddeuai i'n gweld bob dydd Sadwrn ar y bws o Fethel gyda llond bag o ffrwythau a fferins. Nain a Taid oedd yn prynu côt Diolchgarwch o siop Ben & Dargy ym Mangor Uchaf i mi, a nhw wnaeth brynu'r radio bach i mi a ffitiai'n glyd o dan fy nghlustog yn hwyr y nos wrth i mi wrando ar Radio Luxembourg yn y gwely. Chwarelwr yn chwareli'r Penrhyn a Dinorwig oedd Taid Bethel, Jim Lee, a byddwn yn hoffi paratoi swper chwarel iddo ef ac Wncwl Gareth gyda Nain pan oeddwn yn mynd i Fethel ar fy ngwyliau haf. Safwn ar ben stôl yn y gegin i blicio tatws tra byddai hi'n gwneud pwdin reis gorau Cymru. Dynes fechan denau oedd Nain, dynes lân iawn. Cofiaf ei helpu i lanhau'r tŷ gan roi carpedi ar y lein a'u taro â theclyn er mwyn i'r llwch hedfan i'r awyr. Hoffwn lanhau esgidiau hoelion mawr du Taid ac Wncwl Gareth a'u cael i sgleinio nes y medrwn weld fy wyneb ynddynt. Cadwai Taid ei fedal am ei ddewrder yn yr Ail Ryfel Byd mewn drôr yn y dresel a byddwn yn gofalu fod yna sglein ar honno hefyd. Bu farw Taid a Nain Bethal yn eu trigeiniau; bu'r ddau'n gweithio'n galed ar hyd eu bywyd, ac mae fy nyled yn fawr iddynt.

Ar ganol y chwedegau daeth cwmwl du dros ein tŷ ni. Cafodd mam ferch fach a fu farw ar ei genedigaeth. Ond ar Fawrth 18fed 1966 cefais frawd bach o'r enw Iwan. Yn anffodus fe'i ganwyd â *spina bifida* ac fe'i cludwyd i ysbyty Alder Hay yn Lerpwl lle cafodd lawdriniaeth i roi falf yn ei ben, rhywbeth y mae'n rhaid ei gael os oes gan y plentyn hollt yn asgwrn ei gefn. Unwaith eto aethom ar fysiau i Lerpwl i'w weld a da oedd ei fod yno gan fod y gofal am y plant yn arbennig iawn yn yr ysbyty honno. Daeth adref mewn ambiwlans gyda chalipers bach am ei goesau ond er gwaethaf hynny roedd yn fabi bach hapus iawn, yn gwenu bob dydd ac wrth ei fodd gyda miwsig. Pan fyddwn i'n chwarae piano byddai ei freichiau bach yn ysgwyd i gyd ac fe daerwn fy mod wedi gweld ei goesau bach yn symud ychydig. Ond un noson aethpwyd ag Iwan i Ysbyty Dewi Sant, Bangor, yn dioddef o'r clwy melyn ac yno y bu farw ar Fehefin 8fed. Mae ei fedd ym mynwent Macpela, Pen-y-groes.

Anghofia i byth am y dyddiau tywyll yna, ond fe ddaeth golau o rywle pan gefais chwaer, sef Sioned, yn 1967 a oedd yn holliach tan iddi gyrraedd ei phen blwydd yn chwe oed. Un bore fe ddeffrodd yn ddu las drosti fel petai rhywun wedi ei churo! Fe aethom â hithau i Ysbyty Dewi Sant, Bangor, lle bu'n rhaid i ni aros am bum diwrnod cyn cael canlyniadau'r profion. Credent mai rhyw fath o *leukaemia* oedd arni ac roedd yn rhaid i ni aros tan ddiwedd yr wythnos cyn cael gwybod a oedd hi am fyw ai peidio. Dyna wythnos hiraf ein bywydau a dyna'r unig amser i mi weld fy nhad yn dechrau amau Duw. Pan ddaeth y canlyniadau, drwy ryw wyrth roedd yna obaith trwy roi llawdriniaeth iddi i dynnu ei dueg (*spleen*). A dyna a wnaethant, a da gennyf ddweud fod fy chwaer yma o hyd ac yn iach. Cawsom weld llawer gormod o Ysbyty Dewi Sant am gyfnod achos dyna'r union ysbyty lle cefais innau dynnu fy mhendics allan flynyddoedd ynghynt.

Cefais fagwraeth arbennig iawn yn Nantlle nad anghofiaf byth. Bydd y gwersi canu, adrodd, cerdd dant a'r holl eisteddfodau yn aros gyda fi am byth. Ond daeth tro ar fyd pan oeddwn yn dair ar ddeg oed, pan symudodd fy nheulu o Nantlle i Ddyffryn Clwyd. Pan adewais Ysgol Dyffryn Nantlle, cefais record Hogia Llandegai yn canu 'Llosgi'r Bont' yn anrheg gan fy nosbarth. Dyna'r tro cyntaf i mi glywed canu gwlad ac roedd yn gân y medrwn ei dysgu ar fy ngitâr ac rwyf yn dal i'w chwarae hyd heddiw.

I Gilcain, Dyffryn Clwyd, y symudodd y teulu i fyw ac yn y pentref hwnnw yr oedd yr actor byd-enwog Meredith Edwards yn byw. Byddai'n galw'n aml yn y tŷ capel lle roeddem yn byw ond ni feiddiai fy chwaer fach ddweud gair wrtho am ei bod yn meddwl mai Iesu Grist oedd o gan nad oedd wedi gweld neb â barf o'r blaen! Yn anffodus dim ond dwy flynedd a gefais yn Ysgol Maes Garmon, yr Wyddgrug, a bu'n rhaid inni godi pac eto gan i 'nhad gael ei daro'n wael iawn yn y tŷ oherwydd y tamprwydd. Tŷ Capel, Tal-y-bont, Dyffryn Conwy, oedd ein cartref newydd ni.

Cefais amser da yn Ysgol Dyffryn Conwy gydag athrawon penigamp a ffrindiau da. Ar ôl pasio fy Lefel O, fe es i'r chweched dosbarth i astudio Lefel A mewn Cerddoriaeth, Cymraeg a *Domestic Science* (coginio i chi a fi heddiw). Ond ar ôl blwyddyn fe rois y gorau i'r coginio gan fod yna ddigon o waith gyda'r ddau bwnc arall. Miss Olwen Hughes oedd yr athrawes Gerdd a Mrs Iola Alban oedd yr athrawes Gymraeg – dwy athrawes wych a gyflwynai eu gwersi'n ddealladwy iawn. Mae'n rhaid fod Mrs Alban wedi gwneud ei gwaith yn gampus oherwydd roedd y Prifardd Myrddin ap Dafydd yn yr un dosbarth â mi. Nid anghofiaf fyth yr awdures Kate Roberts yn dod i siarad â ni i'r chweched dosbarth ac roeddwn wrth fy modd yn astudio ei gwaith, yn enwedig *Te yn y Grug* gan ei fod yn sôn am fy Mynydd Grug i yn Nantlle.

Treuliais amser gyda ffrindiau da yn cyfansoddi caneuon yn y chweched dosbarth, sef Hywel Morris a Glyn Siôn. Dysgais lawer gan y ddau oherwydd mae Hywel yn athrylith o gerddor a Glyn yn wych gyda geiriau ac mae fy nyled yn fawr i'r ddau hyn, yn enwedig am eu doethineb. Aeth y ddau ymlaen i fod yn feddygon er y gallent fod wedi dewis unrhyw faes.

Gadewais yr ysgol gyda dwy Lefel A ac ymlaen â mi i Goleg Normal Bangor am y tair blynedd gorau y gall unrhyw un eu cael yn eu harddegau. Rhaid sôn am un gamp a wnes yn fy arddegau, sef cael fy newis i fod yn Miss Plaid Cymru Conwy. Dwn i ddim sut na pham ond mae gen i lun allan o bapur newydd yn profi hyn! Mae'n rhaid nad oedd yna fawr o neb arall wedi rhoi cynnig am y teitl yma.

Yn ystod gwyliau'r haf byddwn yn gweini mewn tŷ bwyta o'r enw Lodge Talybont ac fe wnes ddigon o arian i gael tocyn awyren am £99 i hedfan i Los Angeles i weld Anti Joyce ac Wncwl Burt a fyddai'n anfon y parsel Dolig i ni i Nantlle. Treuliais fis yn eu cartref a chefais amser bythgofiadwy, gan ymweld â Hollywood a Mecsico. Roedd yna draethau bendigedig ger eu tŷ mawr, tŷ oedd â dwy ystafell molchi a theledu lliw ym mhob ystafell! Newydd gael un teledu lliw yr oeddem ni adref yng Nghymru!

Pan oeddwn yn un ar bymtheg oed cefais ddigon o blwc i ganu gyda fy ngitâr ar fy mhen fy hun ac roedd yna ddigon o gyfle i ganu yn y nosweithiau llawen yn y coleg. Roeddwn wrth fy modd yn gwrando ar berfformwyr fel yr Eagles, Emmylou Harris, Linda Ronsdat, Crosby Still Nash & Young ac yn prynu eu LP ddiweddaraf er mwyn dysgu rhai o'r caneuon ar y gitâr. Byddai fy nhad yn anfon geiriau i mi ac yna byddwn innau'n rhoi alaw arnynt, a byddwn hefyd yn cael caneuon gwreiddiol gan ffrindiau coleg. Roeddwn hefyd yn hoff iawn o ganu caneuon gwerin gan roi naws fodern iddynt fel y gwnaeth Edward H Dafis gyda 'Ffarwél i Langyfelach Lon'.

Euthum am wrandawiad i fynd ar *Disc a Dawn* ddechrau'r saithdegau. Roeddwn yn nerfus iawn yn canu o flaen Ruth Price ar fy mhen fy hun, ond roedd hi'n ddynes mor annwyl nes mod i'n teimlo'n gartrefol yn syth. Mae'n rhaid fod yr holl ymarfer wedi talu ar ei ganfed achos ymddangosais dipyn ar *Disc a Dawn* ac yna ar *Gwerin 76*. Doedd gan fy rhieni ddim car felly daliwn y trên o Fangor i Gaerdydd i fynd i'r BBC gyda fy ngitâr ar fy ysgwydd a bag yn fy llaw – gan deimlo fel Maria Von Trapp o'r ffilm *The Sound of Music*! Y rhaglen gyntaf erioed i mi ei gwneud oedd gyda Meic Stevens, a doeddwn heb weld na chlywed dim fel fo o'r blaen.

Tra oeddwn yn y Coleg Normal ym Mangor euthum i ofyn am waith ar gyfer y penwythnosau a'r gwyliau mewn gwesty Cymraeg oedd newydd agor ger Llanrwst o'r enw Plas Maenan. Y perchenogion oedd Alan ac Enid Jones ac roeddent yn chwilio am staff i weini ar y byrddau ar gyfer y gwleddoedd ar y penwythnosau gyda noson lawen draddodiadol Gymraeg i ddilyn. Dyna wrandawiad arall i'w wynebu. Fe es gyda fy ngitâr (llawer mwy hwylus na phiano) a chanu 'Mae 'Nghariad i'n Fenws', 'Dacw 'Nghariad i Lawr yn y Berllan' a 'Ffarwél i Langyfelach' yn y lolfa – dim ond Mr a Mrs Jones a minnau. Cefais y swydd o weini ar y byrddau a chanu yn y noson lawen. Anghofiaf i byth y profiad o gario llond hambwrdd mawr poeth o gywion ieir mewn mêl a chynnig gwasanaeth arian i tua chant o bobl oedd yn dod o bob rhan o Gymru a'r byd. Roeddwn yn gorfod gwisgo ffrog laes o frethyn cartref gyda streipiau du a gwyrdd arni ac yna ar ôl chwysu yn gweini newidiwn i ffrog laes arall (roedd llaes yn ffasiynol iawn yn y saithdegau) a chanu yn y noson lawen, gyda Trefor Selway yn arwain, Robin James Jones yn cyfeilio ar y delyn, Edward Morris Jones yn canu, Beti Watkin yn soprano a Gaenor ac Eleri yn canu cerdd dant. Byddai'r nosweithiau hynny'n rhai gwych gydag awyrgylch y gwesty yn gweddu i'r Noson Lawen draddodiadol. Cawn £6.50 am wneud hyn – £1.50 am weini a £5.00 am ganu.

Yn ogystal â chanu caneuon gwerin Cymraeg cefais fy nghyflwyno i fath arall o ganu, sef canu gwlad o'r Iwerddon. Aeth ffrindiau i ni o'r Ffordd Las, Glan Conwy, sef John a Margaret Peach, â mi i ganu i Lanidloes lle roedd y diweddar John Dudley Davies yn cynnal nosweithiau gyda grwpiau o'r Iwerddon yn ogystal â doniau newydd o Gymru. Dyma gyfle i mi ganu drwy feicroffon am y tro cyntaf a chyda band o Wyddelod. Doedd gen i ddim llawer o ganeuon addas ond roeddwn wedi dysgu 'Country Roads', sef cân John Denver – er mai record Olivia Newton John ohoni oedd gen i. Yn ogystal, pwy na wyddai 'Blanket on the Ground'? Felly i ffwrdd â mi gan ganu ychydig yn Saesneg am y tro cyntaf, yn ogystal â chanu fy nghaneuon traddodiadol Cymraeg – ond roedd y rheiny'n anodd i fand o Wyddelod eu dilyn.

Mae'n rhaid fy mod wedi gwneud rhywbeth yn iawn gan i mi gael fy ngwahodd yn ôl flwyddyn ar ôl blwyddyn. Un tro cefais y fraint o ganu ar y llwyfan gyda seren fawr o'r Iwerddon o'r enw Brendan Shine, ac ar yr un noson roedd yr anfarwol Ryan Davies yn perfformio; mae gennyf lun bendigedig ohonof gyda'r ddau gawr. Ar ddiwedd y noson honno gofynnodd Brendan Shine a fyddai gen i ddiddordeb mewn recordio cân gydag ef. Roedd yn awyddus i ganu yn Gymraeg ac felly cyfieithwyd cân o'r enw 'Hello, Mr Williams' i'r Gymraeg. Yn anffodus fe recordiodd artist o'r Iwerddon y gân yn Saesneg gan lwyddo'n fawr yno gyda hi cyn i ni ddechrau ar y fersiwn Gymraeg. Dyna ddiwedd ar fy ngyrfa i gyda Brendan Shine.

Dwi'n cofio mynd i Iwerddon gyda John Dudley Davies ac Edward Morris Jones, i ganu i'r Gymdeithas Wyddelig yn Nulyn. Canasom yn neuadd y Brifysgol ac mewn neuadd bentref y tu allan i'r ddinas. Bu inni gyfarfod â'r maer ac roedd yn brofiad gweld grwpiau Gwyddelig yn perfformio mewn clwb gan ddechrau am un ar ddeg o'r gloch y bore a dal ati tan oriau mân y bore canlynol! Profiad na wnaf byth ei anghofio.

Dechreuais ysgrifennu caneuon gyda 'nhad ac un flwyddyn pan oedd yr Eisteddfod Genedlaethol yn Ninbych roedd yna gystadleuaeth gân bop am y tro cyntaf. Gan fy mod yno am yr wythnos yn rhannu tŷ gyda fy ffrindiau coleg, penderfynais gystadlu gan ganu un o'r caneuon hyn. Gan nad oedd ond tair ohonom yn cystadlu fe gawsom fynd ar y llwyfan am ddeg o'r gloch y bore! Dyna lle roeddem yn canu i bafiliwn gwag, ac ail a gefais i. Dw i ddim yn cofio'r gân na phwy gafodd gyntaf ond gallaf ddweud fy mod wedi cael ail yn yr Eisteddfod Genedlaethol!

Ar ôl gadael y coleg ym Mangor cefais swydd am y flwyddyn gyntaf fel athrawes yn Ysgol Gynradd Glanwydden, Bae Penrhyn. Symudais wedyn i Ysgol Waunfawr ger Caernarfon lle roeddwn yn dysgu plant o dair i saith oed. Rhaid i mi ddweud fod gennyf gof hapus o fod yno gyda chymorth Gwenlli Williams fel gweinyddes feithrin a oedd yn wych am dynnu lluniau. Bob bore byddwn yn canu a chwarae'r gitâr, gyda'r plant yn eistedd ar y mat ac mae'n rhaid fod hyn wedi dylanwadu ar rai ohonynt gan i

Osian Rhys a Meilir fynd ymlaen i fod yn aelodau o'r Big Leaves; ia, hogia Miss Roberts oeddan nhw! Mewn fflat yng Nghaernarfon yr oeddwn yn byw tra oeddwn yn athrawes ond wnes i ddim peidio â chanu a chwarae'r gitâr. Eto mae hi'n anodd cael noson lawen neu gìg pan nad oes neb yn eich adnabod, felly pan glywais am noson oedd yn cael ei chynnal yn nhafarn yr Hen Glanrafon gan grŵp o'r enw The League of Gentlemen, i ffwrdd â mi yno. Roeddent yn gadael i unrhyw un ganu yn eu toriad nhw ac felly dyma fi'n mynd un nos Lun ym mis Chwefror 1979, yn gwisgo dyngarîs a chlogyn. Daeth dau ffrind gyda mi i chwarae gitâr a chenais gân Carole King, 'Will You Still Love Me Tomorrow' a chân Janis Ian, 'At Seventeen', caneuon digon digalon a dweud y gwir. Y noson honno cefais fy nghyflwyno fel 'Ken a'r Band' – doedd hynny ddim yn plesio o gwbl gan mai fi oedd wedi mynd â'r ddau hogyn arall gyda fi! Doedd hynny ddim yn ddechrau delfrydol i unrhyw berthynas.

Ond fe es yn ôl ac felly y bu hi am ychydig tan i mi fod ar fy mhen fy hun heb fand a dyma ddyn o'r enw Andy Boggie yn dweud y byddai e'n chwarae bas a'i gitarydd, Tony Langhorn, yn chwarae gitâr i mi. A dyna ddechrau ar ein perthynas, yr athrawes mewn clogyn yn mynd allan efo Andy Boggie, y bwci!

# Stori Andy

Dechreuodd y cwbl gyda Radio Luxembourg a minnau wrth fy modd yn gwrando ar y darllediadau o'r orsaf gyntaf a chwaraeai ganu pop. Hyd yn oed cyn i mi gyrraedd fy arddegau, cawn wrando arni am awr cyn mynd i gysgu, yn llofft fy nhad i ddechrau ac wedyn ar fy radio fy hun. Roeddem yn byw – fy nhad, fy mam a minnau – ym Mhenmaenmawr, tref yr oedd ei bywyd yn cylchdroi o gwmpas y chwarel wenithfaen lle gweithiai canran uchel o'r boblogaeth. Roedd fy rhieni wedi symud yno yn ystod y rhyfel gan fod fy nhad wedi dal y diciâu, afiechyd angheuol a'i lladdodd yn y diwedd pan oeddwn yn bymtheg oed. Oherwydd yr afiechyd byddai ef yn mynd i'r gwely yr un pryd â mi ac felly dyna hanes y radio.

Llanwyd fy meddwl ifanc â dau ddylanwad mawr, sef y sgiffl (fel y'i chwaraeid gan Lonnie Donnegan a'r Vipers), a'r roc-a-rôl cynnar ac ymysg fy ffefrynnau roedd Elvis, Chuck Berry, Buddy Holly, Eddie Cochrane a Gene Vincent. Roeddwn i gyfarfod a chydweithio â dau o'r arwyr hyn yn nes ymlaen yn fy mywyd, ac er i mi deimlo bod Gene Vincent yn berson hollol ddymunol, mae arnaf ofn bod Lonnie Donnegan wedi bod yn siom o'r mwyaf i mi fel person.

Doedd hi ddim yn hir cyn i mi lwyddo i berswadio fy rhieni i brynu fy iwcaleli cyntaf, a chyda hwn byddwn yn smalio am oriau o flaen y drych yn y cyntedd, ac yna yn y man cefais gitâr iawn. Fi oedd y dyn blaen a'r prif leisydd yn fy mreuddwydion, er nad oedd gen i obedeia a oedd gen i lais ai peidio bryd hynny. Cefais fy recriwtio gan Richie Bach i chwarae'r bwrdd sgwrio ac roedd Peter Brook (yr oedd ei dad wedi bod yn arweinydd band go-iawn) i chwarae'r dwbl bas yr oeddem wedi'i lunio o hen gist te, ac fel hyn y ganed fy ngrŵp cyntaf, The Strollers. Bu ein perfformiad cyhoeddus cyntaf ar y Promenâd yn ystod y carnifal blynyddol ac yno fe ganon ni 'Cotton Fields' yn ogystal â chân yr ysgrifennwyd gennyf i a Dad am hen fws y pentref, a oedd ar y pryd yn dipyn o sefydliad ym Mhenmaenmawr ac a oedd, gyda llaw, wedi chwarae rhan yn fy ngenedigaeth.

Yn ôl y sôn, a stori sydd bellach yn rhan o lên gwerin Penmaenmawr, tra oedd fy mam wrthi'n rhoi genedigaeth i mi gartref, gyrrwyd fy nhad i'r pentref ar hen fws y pentref. Yna, bob tro roedd y bws yn dod heibio'n tŷ ni, byddai Norman, y gyrrwr, yn aros a gofyn a oeddwn wedi cyrraedd y byd hwn eto ai peidio. O gael yr ateb 'nag oedd, dim eto', byddai'n mynd yn ei flaen i'r pentref a dweud wrth fy nhad na fyddwn yma am awr arall eto o leiaf, felly dylai fynd at Benny'r Barbwr i gael torri'i wallt. Aeth hyn ymlaen hyd nes y des i'n ddiogel i'r byd a daeth Dad adref i'm gweld ar y bws nesaf. Ffrind gorau fy nhad ar y pryd oedd cyd-weithiwr yn y banc yng Nghonwy o'r enw Bill 'Towyn' Roberts, ac ef ddaeth yn dad bedydd i mi. Y Towyn Roberts hwn aeth ati'n ddiweddarach i sefydlu'r ysgoloriaeth yn ei enw yn yr Eisteddfod Genedlaethol, ysgoloriaeth a fu o gymorth wrth lansio Bryn Terfel ymysg eraill.

Aeth y Strollers yn 'The Falcons' a rhoddodd Richie Bach y gorau i'w yrfa gerddorol a daeth Tony Sharks i gymryd ei le ar y drymiau, wel ar hambwrdd te a chyda gweill gweu i fod yn onest. Ond daeth technoleg i'n byd a chafwyd set o ddrymiau cyntefig, ac mi gefais innau fy ngitâr drydan gyntaf un, wedi'i phrynu am ddeg punt gan dad Peter Brook. Roeddem wedi cyrraedd!

Roeddem nawr ar ddechrau'r chwedegau, pan oedd grwpiau yn prysur ddod yn boblogaidd. Y dyddiau hynny, roedd sîn y grwpiau fel pêl-droed yr oes sydd ohoni wrth i brif chwaraewyr gyfnewid lle yn aml ac roedd cael grwpiau'n cyfuno â'i gilydd yn beth arferol. Y prif fand ar y pryd oedd y Nighthawks o Gaergybi, ac roedd eu prif leisydd penfelyn hwy i chwarae rhan bwysig iawn yn fy ngyrfa gerddorol i, sef Tony Langhorn. Prif grŵp Penmaenmawr oedd y Moonshiners, dan arweiniad Terry Beynon (gitarydd gwych arall). Prif leisydd y grŵp hwn oedd John Morlais Jones, Elvis bach pum troedfedd yr oedd pawb yn ei alw'n 'Molly'. Fel a ddigwyddai mewn grwpiau o'r fath, achosodd cynnen i'r Moonshiners chwalu. Cefais innau wahoddiad personol gan Terry i sefydlu grŵp newydd gydag ef a

Morlais, grŵp o'r enw'r Four Jets. Bu inni recriwtio bachgen o'r enw Nev Petch i ymuno â ni, ac er bod ganddo gitâr ni allai chwarae, ond gan mai trydanwr oedd o wrth ei waith roedd o'n aelod defnyddiol tu hwnt i'r band. Roedd yn rhaid inni droi ei seinchwyddwr ef yn is ar ddechrau pob cân gan nad oedd o byth yn gwybod y cordiau cywir wrth chwarae. Yn y cyfamser, roedd arferiad enwog Molly o godi'i fys bach gyda'r Brown Splits yn nhafarn y Mountain View yn gwneud ei berfformiadau yn fwyfwy chwit-chwat ac annibynadwy. Daeth i'r pen arno pan fu inni fenthyg recordydd tâp i wrando ar ein hunain am y tro cyntaf. Clywodd John ei lais ei hun, rhoddodd grib drwy'r cwiff yn ei wallt, cerddodd allan ac ni chanodd fyth wedyn. Cefais fy nyrchafu i fod yn brif leisydd, a chafodd y band enw newydd, sef y Cossacks.

Yn ei dro, aeth Terry Beynon yntau ei ffordd ei hun, ac ailsefydlwyd y Cossacks pan ddaeth Tudor Williams (ein prif gitarydd ifanc gwych ond pwyllog ei ffordd) a Nigel Taylor ar y gitâr bas (unigolyn digon rhadlon a charedig ond yn ddigon styfnig hefyd) i ymuno â Tony Sharks a minnau. Aeth y grŵp o nerth i nerth, gan lwyddo i fod yn fand preswyl yn Teen Beat, dawns nos Wener yn ystafell ddawnsio Gerddi'r Gaeaf yn Llandudno.

Penderfynodd rheolwr Gerddi'r Gaeaf gynnal cystadleuaeth i ddod o hyd i fand gorau Gogledd Cymru a ni enillodd hwnnw, er gwaethaf cystadleuaeth gref yn y ffeinal mawr pan lwyddom i guro'r Anglesey Strangers. Roedd cymaint o gystadleuaeth rhwng cefnogwyr y ddau grŵp nes yr âi'n sgarmes yn aml rhwng dilynwyr y Cossacks a dilynwyr y Strangers, er bod aelodau'r ddau fand eu hunain yn cyd-dynnu'n dda â'i gilydd. Tua'r adeg honno, dechreuodd rhyw gymeriad od o'r enw Ian Willis ddod i'n plith, a mynnai y dylem ei alw'n Lemmy. Fo a fi oedd y ddau gyntaf i dyfu'n gwalltiau'n hir fel y Rolling Stones a buom dan lach y bobl leol ar y pryd am wneud hynny. Ond doedd dim ots gennym ni. Roedden ni methu cael gwared â'r merched yn Teen Beat ac ym mar coffi Venezia (man arall lle arferai'r bobl ifainc ymgynnull). Roedd gan Lemmy gitâr arian hyll gythreulig ac, yn ein barn ni bryd hynny, ddim talent gwerth sôn amdani, felly nid oeddem yn talu fawr o sylw i'w geisiadau taer i gael ymuno â'r Cossacks er gwaethaf ei bersonoliaeth wych. Ond gwnaeth Lemmy'n dda iawn drosto'i hun. Oherwydd i ni ei wrthod, cafodd yr ysgogiad i fynd i Fanceinion, ymuno â'r Rocking Vicars ac wedyn â Hawkwind a Motorhead, gan ddod yn y diwedd yn eicon roc (ac yn gyfoethog iawn). Dim ond unwaith y gwelais i ef ar ôl y dyddiau cynnar hynny, pan ddaeth i'n tŷ ni un Nadolig a cheisio fy mherswadio i fynd gydag o yn ôl i Lundain. Roedd yn gyfnod o drobwynt yn fy mywyd ar y pryd gan fy mod yn y Brifysgol ac yn cael fy nhynnu rhwng byd y roc-a-rôl a'r bywyd academaidd. Roeddwn wedi llwyddo i gyfuno'r ddau fywyd yn weddol hyd yn hyn, gan gael naw Lefel O a thair Lefel A ar yr un pryd â chwarae yn y band. Beth bynnag, ar ôl tipyn o gyfyng-gyngor, penderfynais beidio â mynd i Lundain a pharhau â'm cwrs yn y coleg. Tybed sut fywyd fyddai gen i nawr petawn wedi mynd gyda Lemmy y Nadolig hwnnw, ys gwn i?

Er bod y chwedegau yn gyfnod pan oedd diwylliant y cyffuriau yn prysur gynyddu, roeddwn wastad yn rhy ddaionus neu'n rhy gall i ddilyn y llwybr hwnnw, ac yn ffodus teimlwn fod tri neu bedwar peint yn ddigon o gyffro am noson. Dyma'r cyfnod y ffrwydrodd y grwpiau Prydeinig mawr i boblogrwydd a minnau'n ddilynwr selog. Awn gyda ffrindiau i Lerpwl – i glybiau'r Cavern a'r Iron Door fel arfer – i weld y Beatles, y Searchers, y Merseybeats a'r Big Three. Yn yr un modd, bob nos Sadwrn, byddai neuadd ddawnsio anferth Prestatyn Lido yn cynnal nosweithiau gyda grwpiau o Brydain benbaladr gan gynnwys y Beatles, y Rolling Stones a'r Moody Blues. Chwaraeodd bron i bob grŵp mawr Prydeinig yn y Lido. Un noson roedd Gene Vincent, un o'm harwyr roc-a-rôl, i fod i ymddangos ond erbyn naw o'r gloch y noson honno nid oedd y grŵp oedd i'w gefnogi wedi cyrraedd. Roedd Lemmy wedi cyfarfod Gene Vincent o'r blaen ac fe gyflwynodd fi iddo gan ein cynnig ni yn fand iddo. Cytunodd Gene ac wrth inni ymarfer ei ganeuon daeth ei fand ei hun i'r golwg o'r diwedd. Roedd o'n hynod gwrtais, yn ddiolchgar ac yn rhadlon iawn, ac fe'm syfrdanwyd pan fu farw rai misoedd yn ddiweddarach. Ar y llaw arall, roedd yr adeg y gweithiais gyda Lonnie Donnegan yn brofiad hollol wahanol. Cyrhaeddodd yn hwyr gyda merch ifanc iawn ar ei fraich, gan gadw'r gynulleidfa i aros amdano tra bu'n bwyta swper tri chwrs yn y bwyty. Roedd o'n ddigywilydd ac yn anghwrtais wrth ei gynulleidfa a'i gyd-berfformwyr. I'r gwrthwyneb yn llwyr, roedd seren arall y cydweithiais ag ef ambell waith, o'r enw Kenny Ball, a ddaeth i frig y siartiau yn y saithdegau gyda 'Midnight in Moscow', yn ŵr bonheddig o'r iawn ryw, wastad yn sôn ac yn canmol y perfformwyr oedd yn cefnogi'i noson – sef ein band ni fel mae'n digwydd bod!

Yn anffodus roedd y cwrw yn fy nghael i a'm ffrindiau i lawer o drafferthion yn y cyfnod hwn. Caem ein tynnu ato fel magned, ac yn aml byddai'r nosweithiau'n dirywio i ymladd. Achosodd fy hen geg fawr lawer o gwffio i mi, ac er fy mod hefyd wedi gallu siarad fy ffordd allan o fwy nag un picil, er poen calon i fy mam byddai'n aml yn dod â phaned o de i'm llofft ar fore Sul a'm cael gyda llygad ddu neu waed ar fy wyneb. Erbyn hyn roeddwn yn y Brifysgol, yn astudio Ffrangeg yn ystod y dydd ac yn canu dros y Sul. Gwaetha'r modd, ni threuliais fawr o amser yn y Brifysgol, oni bai am yr ychydig ddarlithoedd a fynychais, gan wneud fawr ddim â'r bywyd cymdeithasol yn y coleg. Wedi dweud hynny, credaf fod fy mywyd cymdeithasol fy hun yn un mwy cyffrous.

Roedd y grŵp wastad wrth eu boddau yn chwarae yn ardal Cricieth a Phwllheli, sef fy nghartref bellach. Teimlem fod y gynulleidfa yno'n fwy awyddus am y gerddoriaeth nag oedd y gynulleidfa ddidaro yn Llandudno. Y band lleol yno ar y pryd oedd grŵp o'r enw Dino and the Wildfires ac roedd gennym barch aruthrol at ein gilydd fel cerddorion. Y tro cyntaf inni gydweithio â nhw, roedd Dino y canwr yn gwisgo crys gwyn yn rhan gyntaf y noson ac erbyn yr ail hanner ymddangosai fel petai'n gwisgo crys coch. O edrych yn agosach, gwelwyd mai gwaed oedd y lliw coch. Wrth iddo ganu roedd Dino wedi gweld rhywun yn dawnsio gyda'i gariad, ac aeth ati i roi cweir iawn i hwnnw yn yr egwyl ac wedyn dod yn ôl ar y llwyfan i chwarae eto yn yr ail ran. Cawsom ein denu tuag ato'n syth – ein math ni o foi. Un tro cawsom ganu gyda Dino and the Wildfires i gefnogi Gerry and the Pacemakers a Wayne Fontana and the Mindbenders yn Neuadd Goffa Cricieth – y sioe-canu-pop fwyaf yr oedd yr ardal erioed wedi'i gweld. Sgrechiodd y gynulleidfa – oedd bron yn gyfan gwbl yn ferched ifainc yn eu harddegau – drwy gydol ein set ni. Ar ôl i ni chwarae roedd egwyl ac wrth inni gerdded ar hyd y coridor, agorwyd drws y neuadd a dyma'r merched oedd yn sgrechian yn fy ngweld yn mynd heibio. Am y tro cyntaf, a biti, am y tro olaf, cefais sylw afreolus criw o ferched ifanc addolgar. Roedd o'n wych, ond yn rhy fuan o lawer cyrhaeddodd yr heddlu a chefais fy achub. 'Dydw i ddim isio i chi fy achub,' mynnais, ond i ddim pwrpas. Rwy'n meddwl yn aml wrth i mi siopa o gwmpas Cricieth rŵan tybed a yw rhai o'r merched hynny'n fy nghofio i.

Roedd fy ngradd yn y Brifysgol yn golygu bod yn rhaid i mi dreulio blwyddyn yn dysgu yn Ffrainc, profiad a ysgogodd gariad oes ynof tuag at y wlad a'i ffordd o fyw. Yn lwcus iawn, cefais fy ngyrru i ardal gynnes a hyfryd yn y de-orllewin o'r enw'r Lot, ac yno yn ei phrif dre, Cahors, y treuliais amser hapus iawn nid yn unig y flwyddyn honno ond hefyd droeon wedyn ar wyliau yno. Doedd hi fawr o dro cyn yr ymddangosodd fersiwn Ffrengig o'r Cossacks i chwarae caneuon y Beatles mewn clybiau ieuenctid a ffeiriau yn Ffrainc. Ymddangosais hefyd yng ngherddorfa Bob Stewart yn nawnsfeydd rhai o'r carnifalau a gynhelid yn ystod yr haf a theimlai weithiau fel petaent yn para drwy'r dydd a'r nos.

Pan ddychwelais i Gymru, ymunais â rhai o'm hen ffrindiau mewn grŵp o'r enw'r Publicans, a newidiodd ei enw yn ddiweddarach i fod yn Atlantic Sound. Cawsom hwyl ddirifedi ac anturiaethau o bob math ond ni wnaethom erioed gyrraedd uchelfannau'r Cossacks. Llwyddodd ein drymiwr Phil i gael gìg inni mewn clwb nos yn Lerpwl un noson. Yn ystod ein set olaf gofynnodd bachgen ifanc o'r enw Freddie Starr a gâi ymuno â ni ar y drymiau, a ninnau'n cytuno. Tybed a yw ef yn dal i gofio gwneud hynny? Dro arall roeddem wedi ein bwcio i chwarae yn Neuadd Penrhyndeudraeth gyda grŵp o Iwerddon o'r enw Them. Eu prif leisydd oedd Van Morrison. Tybed beth ddigwyddodd iddo ef?

Wedi i'r Atlantic Sound ddod i ben yn raddol, aeth fy ngyrfa gerddorol i drwmgwsg am sbel wrth i mi fynd drwy blwc trychinebus o geisio 'Cael Swydd Go-iawn'. Doeddwn i ddim wedi meddwl fawr ddim am fywyd ar ôl y Brifysgol, felly ar ôl i mi ennill gradd anrhydedd ail ddosbarth, dechreuais ar res o swyddi gan gynnwys bod yn brentis graddedig yn Lewis's Lerpwl, yn berchennog siop Soul Dressing yn Llandudno, yn rheolwr dan hyfforddiant yn siop adrannol Woods ym Mae Colwyn, yn werthwr ac ymgynghorydd gwin i Colombier Wines, ac yn olaf dan hyfforddiant ac wedyn yn rheolwr i'r bwci George Mason. Byddai cyfnod o dlodi enbyd yn dilyn rhai o'r swyddi dros-dro hyn a byddwn yn byw ar haelioni fy mam gartref, neu'n byw mewn rhyw fflat amheus yn Llandudno ac yn cadw dau ben llinyn ynghyd drwy'r £7 yr wythnos ar y dôl neu drwy gardod fy ffrindiau.

Daeth achubiaeth drwy law Tony Langhorn. Ydych chi'n ei gofio fo – y lleisydd penfelyn o'r Nighthawks? Roedd o am lunio grŵp newydd ac yn fy nghofio i. Bu inni gyfarfod a ffurfio'r League of Gentlemen, a'm cadwodd yn brysur am yr un mlynedd ar ddeg nesaf. Er ein bod yn grŵp o safon uchel, ni wnaethom erioed droi'n broffesiynol ac ni wnaethom erioed fynd allan o Ogledd Cymru i chwarae. A dyna pa mor bell y credais y byddai cerddoriaeth yn mynd â mi – mynd o gwmpas clybiau a thafarndai Gogledd Cymru, a ddim yn ennill llawer mwy nag y byddem yn ei wario ar offer, teithio a diod – rhywbeth yr oeddwn yn mwynhau ei wneud ond a aeth yn rhwystredig erbyn y diwedd. Ymunai llawer o gerddorion enwog yr ardal â'r band o dro i dro, gan gynnwys Dave Usher oedd yn wych gan y gallai chwarae bron i unrhyw offeryn i safon uchel iawn ond roedd hefyd yn hoffi tynnu coes wrth berfformio gan yr arferai fynd ar y llwyfan yn gwisgo clustiau mawr neu draed teigrod.

Pan arferem chwarae yng nghyffiniau Bethesda, arferai rhyw ddyn tebyg i hen hipi godi a chanu gyda ni ac roedd wastad wedi cael un dros yr wyth a chanddo anadl garlleg allai stopio trên. A phwy oedd hwn ond neb llai na Meic Stevens. Roedd ar fin recordio ei albwm enwog *Gog* ar gyfer Recordiau Sain a gofynnodd i Ronnie (ein drymiwr), ac i minnau chwarae ynddi. Dyma fy mhrofiad cyntaf o fod mewn stiwdio recordio ac fe roddodd flas i mi o'r holl beth. Rwy'n siŵr mai ychydig o bobl a ŵyr mai'r Andy a ddiolchir iddo am ganu bas ar *Gog* oedd yr un

Andy a ddaeth ddiweddarach yn Iona ac Andy. Rwy'n amau a yw Meic hyd yn oed yn gwybod.

Un gaeaf doedd fawr o waith o gwmpas y lle i'r grŵp, felly dyma benderfynu cynnal sesiynau nos Lun yn nhafarn Glanrafon ym Mangor lle gallem gadw'r arian wrth y drws ac annog y dalent leol i ddod ar y llwyfan i berfformio. Deuai merch oedd yn dysgu yn Waunfawr ac oedd yn hoff o wisgo dyngarîs a chlogyn draw ambell waith a chanu rhai caneuon gydag un o brif gitarwyr yr ardal, dyn o'r enw Ken. Cofiaf eu cyflwyno nhw fel Ken a'i Fand a fy ngwobr am wneud hynny oedd iddi edrych yn gam iawn arnaf – edrychiad yr ydw i bellach yn ei adnabod mor dda. 'Fy enw i yw Iona,' dywedodd. 'Mae hynny'n swnio fel enw bragdy,' atebais innau. Dyna i chi edrychiad cam arall gan y ferch ifanc unwaith eto – cyfarfyddiad oedd yn ymhell o fod yn gariad ar yr olwg gyntaf! Aeth hi ati wedyn i ganu ei fersiwn hi o gân gan Janis Ian o'r enw 'At Seventeen', darn o gerddoriaeth hynod o anodd ond gwefreiddiol tu hwnt a berfformiwyd yn hyfryd ganddi. Nid am y tro cyntaf, roedd y llaw uchaf gan Miss Iona. Afraid dweud na chafodd ei chyflwyno fyth wedyn fel Ken a'i Fand. Dechreuom weld ein gilydd yn gymdeithasol ac yn fuan daeth diwedd ar y League of Gentlemen a ganed y ddeuawd Andy ac Iona – edrychiad cam – ddrwg gen i, Iona ac Andy.

*Cyfieithiad gan Gwenllïan Dafydd*

# Canu gyda'n gilydd

Ar ôl cael blas ar ganu trwy feicroffon a system sain grŵp Andy, sef y League of Gentlemen, roedd yn rhaid i mi gael fy system sain fy hun os oeddwn am fynd o amgylch yn canu ar benwythnosau. Ac felly y bu hi. Prynais y cwbl lot ond heb ddim clem beth i'w wneud ag ef! Dwi'n cofio ei stwffio i fŵt car Morris 1100 oedd yn hollol annibynadwy ac yn trafaelio droeon i'r Black Lion yn Llanfaethlu, y Cefn Glas yn Llanfechell a'r Trees yn Amlwch ac yn gorfod ffonio Andy i ofyn, 'Be dwi fod i'w wneud â'r peth a'r peth?' neu yn aml yn gofyn 'Mae'r car wedi torri, fedri di ddod i nôl fi ar ôl i ti orffen dy gìg di?' Nid oedd hyn yn help i berthynas neb, ac yn fwy felly ein perthynas ni gan fy mod i yn byw yng Nghaernarfon ac yntau yng Nglan Conwy, felly fe orffennodd Andy â'r grŵp a dyna ddechrau ar ein deuawd Iona ac Andy, yn ogystal â bod yn ddau gariad.

Treuliasom flwyddyn a hanner yn canu a charu; fi'n trafaelio o Gaernarfon gan fy mod yn dysgu yn ysgol gynradd Waunfawr ac Andy yn mynd o amgylch gogledd Cymru yn *relief manager* i Mecca Bookmakers ac yn byw yng Nglan Conwy gyda Crisp y Jack Russell. Roedd hyn yn rhoi straen ar bopeth, yn enwedig y 1100! Felly, pan ddaeth yna le gwag i athrawes yn ysgol Eglwysbach a oedd ond ychydig filltiroedd o Lan Conwy fe benderfynsom briodi pe cawn y swydd.

Wrth lwc fe gefais y swydd ac fe briodsom yng Nghapel Baladeulyn, Nantlle, ar y 5ed o Ebrill 1980, dydd Sadwrn Pasg braf iawn. Roeddwn yn emosiynol iawn yn cerdded lawr at y sedd fawr ar fraich Dad, a'm chwaer Sioned yn forwyn i mi. Wnaf i byth anghofio'r canu da yn y gwasanaeth; roedd y rhan fwyaf o 'nheulu i yn aelod o gôr. Roedd teulu Andy wedi dod o Benbedw ac wrth gwrs roedd yna nifer o'n ffrindiau ni yno hefyd. Cawsom y brecwast priodas ym Mhlas Tan Dinas, Dinas Dinlle, lle y bu yna wledd arbennig gydag areithiau gan fy nhad a nifer o bobl eraill yn cynnwys fy nghefnder Cefin a oedd mewn siwt biws berffaith. Fe ganodd ef, gyda'i wraig Rhian, y gân werin addas honno 'Tra Bo Dau' ac yn ei araith cofiai amdanom ni'n blant yn tyfu yn Nyffryn Nantlle gan chwarae yn y chwarel a dywedodd ei fod yn cofio fel y byddai pawb arall yn mynd adref yn fudr i gyd a minnau'n llwyddo i gadw'n lân iawn. Fy ymateb i hynny oedd fod gennyf fam na fyddai'n fy ngadael i'r tŷ pe byddai smotyn o faw arnaf. Roedd yn ddiwrnod hapus tu hwnt, gan orffen gyda'r teulu i gyd yn canu yn lolfa'r gwesty – dyna i chi gôr!

Treuliasom ein mis mêl yn y Cotswold lle cefais fy nghyflwyno yn Cheltenham i rywbeth newydd sbon ar y pryd, ond sydd erbyn hyn wedi hen ennill ei blwyf fel pleser mawr yn fy mywyd, sef rasys ceffylau. Ar ôl wythnos yno, bu raid dod adref i Lan Conwy at fy nheulu bach newydd sef Andy, Crisp a fi. Dyma ddechrau yn ysgol Eglwysbach, gyda Mr Stan Roberts yn brifathro a Nancy Sherrington yn athrawes y dosbarth canol a minnau gyda'r rhai tair i saith oed. Roedd gitâr yn dal yn ddefnyddiol iawn yn yr ysgol, ond ar benwythnosau canu gydag Andy a âi â'm bryd.

Dysgom amryw o ganeuon pop: caneuon gan Boney M, Bonnie Tyler, Olivia Newton John a Mary Hopkin. Gyda chaneuon roc-a-rôl Andy, a'm caneuon poblogaidd Cymraeg innau, fe gawsom nosweithiau yng nghlybiau cymdeithasol fel Clwb Ceidwadwyr Bangor, clybiau Caergybi i gyd yn ogystal â rhai Caernarfon a Phorthmadog, sef y clybiau yr oedd grŵp Andy wedi ymddangos ynddynt. Ymhen amser fe ymunom ag asiantaeth Ray Herbert o'r enw Rainbow Enterprises ac fe ddaeth Ray yn rhyw fath o reolwr arnom gan gael gwaith i ni mewn clybiau ledled Gogledd Cymru ac yn Lerpwl. Roedd hi'n amser cynhyrfus i mi gael canu mewn clwb yn Lerpwl ond buan y daethom i sylweddoli nad byd hudolus oedd hyn i gyd. Byddem yn canu yn ardal beryglus Toxteth sydd gan mil peryclach na phentref bach Nantlle. Yno yn y maes parcio talem i fechgyn edrych ar ôl ein cerbyd tra oeddem ni'n canu i'w rhieni oedd y tu mewn yn chwarae bingo ac yn cael y *cabaret* gennym ni. Roedd y noson yn golygu tair set hanner awr yr un gyda chyfeiliant organ a drwm. Nid oedd technoleg y *mini disc* i'w chael yr adeg honno, felly, rhaid oedd dod i ben gyda help dau ddyn oedd wedi bod yno ers i'r clwb agor, gan obeithio y byddent yn gorffen y caneuon yr un pryd â ni.

Y peth mawr yr amser hwnnw oedd cael *summer season* a fyddai'n dechrau ym mis Mehefin ac yn mynd rhagddo hyd ddiwedd Medi. Fe gansom mewn sawl gwersyll gwyliau o amgylch y Rhyl. Un o'r rhain oedd Interleisure lle roedd y Bingo yn cael y flaenoriaeth ac weithiau byddai Andy yn ei alw cyn i ni ganu. Ond yr hyn a gofiaf yn bennaf am y nosweithiau hyn oedd ymddangosiad neidr anferth yn hongian o amgylch gwddw'r dyn tynnu lluniau er mwyn denu rhai o'r ymwelwyr i gael eu llun gyda'r neidr. Rhedwn i'r ystafell newid y munud y gwelwn hwn yn dod yn agos at y llwyfan ac yno y treuliwn yr egwyl gyda'r drws dan glo.

Wrth gwrs bu raid i ni gael dillad llwyfan addas ar gyfer y tymor hir yn y gwersylloedd gwyliau. Tra oeddwn i'n swancio yn fy ffrog RaRa goch, flodeuog, gwta iawn fe gafodd Andy grys gwyn fel Elvis a throwsus gwyn tyn!

Wrth i'r haf fynd rhagddo, byddai'r ystafell newid yn dirywio'n ofnadwy gan na fyddai neb yn clirio'r gwydrau budr na'r blychau llwch gorlawn nac yn glanhau'r carpedi budur hyd nes yn y diwedd nad oedd mymryn o le i chi roi dim o'ch eiddo yn unlle glân. Felly, un wythnos yn y Pines Caravan Club, y Rhyl, gofynnais i'r perchennog ar ddiwedd y noson a fyddai'n bosib i rywun lanhau'r ystafell erbyn yr wythnos nesaf ac adref â ni. Y bore Llun canlynol cawsom ganiad ffôn gan Ray Herbert, ein hasiant, yn dweud na fyddem yn canu byth eto yn y Pines gan ein bod wedi cael y sac! *That's show business!*

Fe sefydlodd Ray glwb canu gwlad ym Mae Colwyn yn ystafell y Riverboat, Abaty'r Rhos, Rhos-on-Sea. Roedd yna nifer fawr o glybiau o'r math hwn yn agor ar hyd a lled gwledydd Prydain ar y pryd, gan arbenigo mewn canu caneuon gyda geiriau synhwyrol ac alawon pleserus ac yn llawn cynulleidfaoedd oedd yn barod i wrando – dim bingo yma! Ar ddiwedd ysaith degau roedd cerddoriaeth Emmylou Harris a'r Eagles wedi dylanwadu ar lawer i artist ac wedi eu hysbrydoli i deithio i bob rhan o Brydain yn canu'r math hwn o gerddoriaeth i gynulleidfaoedd newydd. Ysgogodd hyn ambell ŵyl canu gwlad i gael ei sefydlu, a dyma sut y dechreuodd Pontins yn un ohonynt.

Credai Ray fod arddull y canu hwn yn ein siwtio i'r dim ac ar ôl protestio nad oedd gennym ddigon o ganeuon gwlad i'w canu i gynnal noson ar ein pennau ein hunain, aethom i'r clwb ym Mae Colwyn. Wnaf i byth anghofio pa mor nerfus oeddwn yn canu caneuon oedd yn newydd i ni, a hynny o flaen cynulleidfa oedd yn gwrando ar bob gair oedd yn dod allan o'n cegau. Er mawr syndod inni roeddynt hefyd yn clapio ar ddiwedd pob cân! Ni ddigwyddai hyn brin ddim i ni yn y clybiau a'r tafarnau arferol, ac roedd yn donig i'r galon. Diolch byth ein bod yn gwybod 'Country Roads', 'Blanket on the Ground', 'I Will Always Love You', 'Gypsy Woman', 'Queen of the Silver Dollar' a chaneuon Emmylou Harris. Ar ôl y noson honno fe fu raid prynu mwy o recordiau, ac ar y pryd roedd yna frîd newydd o gantorion yn Nashville a gâi eu labelu'n 'New Country': artistiaid fel Randy Travis, Rodney Crowell, Ricky Scaggs, Nancy Griffiths a Gail Davies (a oedd i chwarae rhan bwysig yn ein dyfodol ni). Dyma'r gerddoriaeth yr hoffem ei chanu ac felly dyna fynd ati i ddysgu mwy o ganeuon. Wrth berfformio, bu inni gyfarfod â nifer o artistiaid eraill oedd yn trafaelio ac yn ennill bywoliaeth drwy ganu gwlad, pobl fel Ben Rees o Runcorn, Bob McKinley o Wigan, Geordie West y cowboi o Calgary, Canada, a heb anghofio'r canwr-ddigrifwr o'r Amwythig, hwnnw oedd yn rhedeg ei glwb canu gwlad ei hun, sef Tony Best. Er ein bod yn dal i ganu mewn clybiau a thafarnau yn y Gogledd yn ddwyieithog dyma'r math o ganu y teimlem oedd yn gweddu i ni ein dau; dyma oedd cyfaddawdu rhwng fy nghanu gwerin i a chanu roc Andy.

Yn ystod yr haf byddai ymwelwyr o bob rhan o'r wlad yn dod i'r clwb yn y Riverboat ac yn gofyn a hoffem ganu yn Lloegr. Yr adeg honno roedd y ddau ohonom yn gweithio'n llawn amser ac nid oedd trafaelio ymhell yn ymarferol. Ond daeth gŵr o'r enw Bernard Vaughan atom a gofyn a allem gymryd rhan mewn noson arbennig yn Crewe, noson gyda sêr o America a Phrydain. Roedd y noson i'w chynnal mewn clwb oedd yn cael ei redeg gan ddyn oedd yn galw ei hun yn Taffy Davies, a hynny yn neuadd Victoria. Yr artistiaid ar y noson oedd Tom T Hall, West Virgina, Becky Hobs, Bob Mckinley, a Joe Butler, o Radio City Lerpwl, yn arwain; roedd y rhain yn enwau mawr, felly cymersom y cam gan nad oedd Crewe yn rhy bell o gartref. Mae rhai nosweithiau yn aros yn y cof am byth ac mae hon yn un o'r rheiny. I ddechrau, ni wnaf byth anghofio maint y lle: roedd y neuadd yn anferth ac yn dal tua 500 o bobl ac roeddent wedi gwerthu pob tocyn. Roedd gennym ystafell newid a dim ond am hanner awr oedd angen i ni ganu. Roedd fy ngwddw'n sych i gyd a the'r prynhawn bron â dod i fyny 'nôl ond ymlaen â ni yn ein dillad newydd. Roedd gen i sgert las a thop steil sipsi a blodyn yn fy ngwallt (peidiwch â gofyn pam!) ac Andy mewn crys glas i gydweddu â mi. Roedd acwtsig y neuadd yn anhygoel ac roedd ganddynt system sain yn arbennig ar gyfer y noson, felly doedd dim rhaid i ni wneud dim ond agor ein cegau a chanu. A dyna a wnaethom am un gân ar ôl y llall, fel nad oeddem am orffen, gan fod y gynulleidfa wrth eu boddau gyda ni. Roeddent ar eu traed ar ddiwedd yr hanner awr a dwi'n cofio Joe Butler yn dweud eu bod 'wedi clywed rhywbeth ffres a newydd heno na chlywyd ei debyg o'r blaen a bod yn rhaid i ni ganu dwy gân arall!' Roedd y rhan fwyaf o'r gynulleidfa y noson honno yn *connoisseurs* yn y canu gwlad ac roeddent wedi ein hoffi ni – Iona ac Andy! Felly, mae'n rhaid ein bod wedi gwneud y peth iawn yn newid ein math o ganu. Y bore canlynol, ni allem ond trafod beth oedd y noson yn ei olygu i ni, a doedd dim dwywaith amdani nad oedd angen inni ddatblygu ymhellach ac, yn sgil hynny, deithio ymhellach.

Penderfynsom y dylem recordio ychydig o'n caneuon ac fe ddaeth Ray o hyd i stiwdio yn y Fflint ar stad ddiwydiannol lle recordiom record EP gyda phedair cân arni, sef 'Making Believe' (un o glasuron canu gwlad gan Emmylou), 'Sin City' (Gram Parsons), 'Living in the West' (Bellamy Brothers) a 'Baby Ride Easy' (cân newydd ar y pryd wedi'i chyfansoddi gan Carlene Carter a Dave Edmonds). Cawsom lun yn arbennig ar gyfer y clawr du-a-gwyn, gyda'r ddau ohonom yn gwisgo hetiau cowboi. Camgymeriad mawr oedd hynny gan nad yw Andy'n siwtio het o gwbl! Yn anffodus fe recordiwyd yr EP ar amseriad LP ar 33rpm yn lle 45rpm fel pob sengl arall. O ganlyniad, pan oedd yn cael ei chwarae ar y radio byddai ar y cyflymdra anghywir gan wneud i ni swnio fel Pinky a Perky hyd nes y byddai'r troellwr yn sylwi ar y camgymeriad. Doedd hyn ddim yn ddechrau da i'n gyrfa! Ond wedi dweud hynny, fe werthodd yr EP yn dda ond roedd pobl byth a hefyd yn gofyn i ni am dâp er mwyn iddynt ei chwarae yn y car.

Dyma gofio fod stiwdio recordio gan un o'n ffrindiau a oedd yn byw yn Rugby, swydd Warwick. Roedd Dave Sheriff (ia wir, ei enw llwyfan ef yw hyn) yn gallu chwarae pob math o offerynnau ac yno yr aethom i recordio ein tâp cyntaf. Gan fod Dave wedi paratoi cefndir y caneuon, y cyfan oedd yn rhaid i ni ei wneud oedd canu'r caneuon. Fe wnaethom hyn mewn dau ddiwrnod. 'I Will Survive' oedd y brif gân ar y tâp, a hithau'n gân boblogaidd iawn yn yr wyth degau, yn ogystal â chân Garfunkel 'Bright Eyes'. Nid wyf yn cofio pa ganeuon eraill oedd ar y tâp gan nad oes copi gennym, a byddem yn ddiolchgar iawn pe clywem am rywun sydd â chopi!

Daeth y tâp yn gryn gaffaeliad i'w werthu yn y llefydd yr oeddem yn canu ynddynt, megis yn y clybiau *cabaret*, ac roedd yn bendant yn gymorth ariannol gan nad oedd ffi i ddeuawdau fel ein deuawd ni yn fawr iawn y dyddiau hynny. Byddem yn cael tua £22 ac roedd yn rhaid rhoi 10% o hwnnw i'r asiant! Er ein bod yn weddol hapus yn perfformio'r caneuon yma, roeddem wedi cael blas ar y canu gwlad ac yn ysu am lefydd i ganu'r caneuon newydd yr oeddem wedi eu dysgu, gan fod y rhan fwyaf o'r llefydd yr oeddem yn canu ynddynt am i ni ganu caneuon poblogaidd. '*Sing something we know*,' oedd hi bob penwythnos. Clywsom fod yna ddyn o'r enw Mervyn Conn wedi dechrau Gŵyl Canu Gwlad enfawr yn Arena Wembley bob Pasg gyda chwmni sigaréts Marlboro yn gyfrifol am yr ŵyl. Byddai'r enwogion yn canu yno: Tammy Wynette, Crystal Gale, Loretta Lynne, Johnny Cash a channoedd o'r sêr yn dod bob blwyddyn. Roeddwn wrth fy modd yn eu gwylio ar y teledu ac yn ysu am wneud yr un fath. Byddai miloedd o bobl yn mynd lawr i Lundain i'w gweld ac fe ddatblygodd i fod *y* lle i fynd iddo.

Trefnodd Mervyn Conn gystadleuaeth '*Star Search*' o amgylch y wlad a byddai enillydd bob noson yn cael canu yn Wembley mewn cystadleuaeth derfynol. Dyma ein cyfle! Cael a chael oedd hi inni gasglu band at ei gilydd ond, ta waeth, i ffwrdd â ni i'r Amwythig i glwb Tony Best lle roedd nifer fawr wedi ymgynnull. Nid oeddem wedi cael ond un ymarfer gyda'r band a doeddent ddim hyd yn oed yn fand oedd yn gallu chwarae 'canu gwlad', felly does ryfedd na chyrhaeddsom Wembley y tro hwnnw.

Ond o bob drwg fe ddaw 'na rywbeth da! Yn sgil y noson

honno fe'n gwahoddwyd gan Tony Best – oedd yn berson pwysig a dylanwadol iawn yn y byd adloniant – i ganu yn ei glwb ef fel deuawd (ac nid band). Ar ben hynny fe'n gwahoddwyd ganddo i fynd ar daith gydag ef i'r Alban! Roedd o'n arfer mynd bob blwyddyn, mynd â sioe ar daith o amgylch gwledydd Prydain. Esboniodd wrthym y byddai ef yn chwarae'r acordion ac yn dweud jôcs, ein bod ni i ganu ac yna'r tri ohonom gyda'n gilydd yn y set olaf a drymiwr ar gyfer dawns i orffen y noson. Roedd y ddau oedd yn arfer canu gydag ef, sef Bob Newman a Carole Gordon, yn methu mynd. Rhan o'r daith hefyd oedd rhoi sioe yn yr ŵyl canu gwlad yn Pontins lle y byddem yn canu o flaen miloedd o bobl – nifer ohonynt yn rhedeg clybiau canu gwlad. Wel, dyna i chi gyfyng-gyngor i ni. Roeddem wedi bod yn pendroni a phendroni sut yn y byd y gallem gael mwy o bobl i'n clywed yn canu cerddoriaeth wlad, ac fel manna o'r nefoedd daeth y gwahoddiad hwn – yr union beth yr oeddem ei angen – taith, a honno i'r Alban. Bywyd roc-a-rôl go-iawn yn galw oedd hyn!

Mae'r ddau ohonom yn anturus iawn ac yn ddau berson sy'n fodlon mentro bob amser. Byddwn wastad yn dweud, 'os na wnawn ni drio, fyddwn ni byth yn gwybod beth ddigwyddith'. Nid oedd gennym unrhyw gyfrifoldeb gartref a phe byddai popeth yn mynd o chwith gallem o leiaf ddweud ein bod wedi rhoi cynnig arni a gallem wastad fynd yn ôl i'n swyddi 'bob dydd'. Roedd ein ci bach Crisp y Jack Russell yn ysu am deithio a gwneud ffrindiau newydd ac felly ar ôl pendroni am ddyddiau – roedd Tony am gael ateb erbyn diwedd yr wythnos – er gwell neu er gwaeth, fe benderfynsom roi'r gorau i'n gwaith a mentro. Yr unig beth oedd yn anodd i mi oedd postio llythyr i Swyddfa Addysg Caernarfon yn egluro popeth; bu'r llythyr yn fy mag am wythnos cyn i mi godi plwc a'i bostio. Ond doedd hynny ddim hanner mor anodd â dweud wrth Dad a Mam gan fy mod i'n gwybod na fuasent am i mi roi'r gorau i swydd ddiogel athrawes. Ond roedd ein penderfyniad wedi ei wneud ac roedd y llythyr yn y bocs coch 'na yng Nglan Conwy, ar ei ffordd i Gaernarfon, a doedd dim i rwystro'r antur fawr oedd o'n blaenau. I'r Alban â ni!

# Troi'n broffesiynol

Y peth cyntaf oedd raid i ni ei wneud i wynebu ein bywyd newydd ar y ffordd oedd prynu fan er mwyn cario'r gêr a'r system sain. Roedd yn rhaid cael sedd i dri ym mlaen y fan – un i mi, un i Crisp y Jack Russell ac wrth gwrs un i Andy. Ar ôl chwilota yma ac acw, yr un oedd yn ffitio i'r dim oedd fan Toyota Hiace ac fe gawsom un ar ôl becar yn Aintree, Lerpwl. Addaswyd y fan ar gyfer y fenter gan adael lle yn y canol i roi ein bagiau a lle i'r gêr yn y cefn. Fe brynsom sachau cysgu rhag ofn y byddai'n rhaid i ni gysgu ynddi rywbryd mewn argyfwng. Dim ond ychydig o weithiau fu raid i ni wneud hynny, diolch byth. Un o'r troeon hynny oedd un noson pan oeddem yn canu yn Weymouth a doedd gennym unlle i aros, felly dyma gysgu ym maes parcio'r neuadd fawr lle roeddem wedi canu ynddi y noson honno. Yn y bore cawsom ein deffro gan leisiau yn gweiddi ac oglau difrifol. Dyna sioc gawsom pan agorodd Andy'r drws i weld ein bod yng nghanol marchnad bysgod! Gyrru oddi yno gynted ag y gallem fu hi! Dro arall bu raid i ni barcio ar y ffrynt yn Aberarth ger Aberaeron gan ein bod yn rhy flinedig i yrru adref a bu bron i ni gael ein chwythu i'r môr oherwydd storm arswydus iawn am dri o'r gloch y bore.

Yn Aberdeen oedd ein sioe gyntaf ar ein taith gyda 'Tony Best Roadshow' yn 1982. Y peth cyntaf sydd yn eich taro am yr Alban yw ei bod yn fawr a bod angen oriau hirfaith i gyrraedd unrhyw le; fe gymerodd ddau ddiwrnod i ni fynd i Aberdeen yn unig, a hon oedd y noson gyntaf! Yr ail beth yw fod yr Alban yn wlad wahanol: mae'n oer iawn, mae ganddynt eu harian eu hunain, mae'r bwyd yn wahanol, ac yn bendant mae ganddynt iaith sy'n anodd i'w deall i Gymraes fel fi oedd ond newydd ddysgu siarad rhyw fath o Saesneg! Ar ddiwedd ambell noson byddwn yn cael 'stovies and neeps' sef rhyw fath o stwnsh rwdan ac, wrth gwrs, glasiad o chwisgi lleol. Mae eu mesuriadau *shorts* yn fwy na'n rhai ni, felly, roeddech yn gwybod eich bod wedi cael diod ar ôl cwpwl o'r rhain! Mae'r Albanwyr yn hoff iawn o'u chwisgi a hefyd yn hoff o'u peint o '*heavy*' – cwrw i chi a fi. Roedd nosweithiau yn yr Alban yn dal ati am oriau gyda'r rhan fwyaf ohonynt yn gorffen tuag un o'r gloch y bore, rhai hyd yn oed am ddau. Trefn y noson oedd y byddem ni'n canu gyda'n gilydd i ddechrau, yna byddai Tony yn dweud ei jôcs cyn dod â'r cyfan i ben drwy gael y tri ohonom a George Foster y drymiwr ar y llwyfan gyda phawb yn dawnsio. Byddem yn sefyll am oriau ac ar ddiwedd y noson yn gorfod cadw'r gêr a gyrru i'n *digs*. Weithiau caem bobl garedig yn cynnig gwely a brecwast inni ond pan nad oedd yna ffrindiau, byddai raid gwario ar lety. Yn ystod y nosweithiau hyn byddem ni a Tony yn gwerthu ein casetiau am ychydig o bunnoedd ac felly golygai hyn y gallem dalu am y gwely a brecwast gyda'r arian yma yn lle ei gymryd o'n cyflog. Fe ddysgom lawer wrth weld y ffordd y gwerthai Tony ei recordiau; dyma sut y daethom ninnau i ddeall sut mae marchnata.

Cynhaliwyd y noson gyntaf honno yn Aberdeen yng nghlwb y Metro. Roedd hwn yn glwb nos go-iawn a doeddwn i erioed wedi bod mewn lle o'r fath o'r blaen. Ar nos Fawrth y cynhelid y noson canu gwlad gyda dau grŵp yn perfformio er mwyn i bobl ddawnsio. Byddai'r lle'n wag tan ddeg o'r gloch ond yna fel rhyw fath o *stampede* byddai'r lle'n orlawn erbyn un ar ddeg o'r gloch. Sylweddolais nad yno i wrando arnom ni oedd y rhain. Sylwais fod gan rai o'r merched rifau ar waelod eu hesgidiau a chefais wybod mai eu rhif ffôn ydoedd. Roedd rhaid canu dipyn o ganeuon araf y noson honno. Ni orffennodd y noson hyd ddau o'r gloch y bore ac roedd yn rhaid wynebu cario'r gêr i lawr y grisiau drwy ganol y cannoedd oedd wedi cael mwy nag un chwisgi. Roedd stryd fawr Aberdeen am dri y bore fel p'nawn Sadwrn yng Nghaerdydd cyn y Nadolig.

Parhaodd y daith am bythefnos, ac fe ganson ni mewn clwb golff, yng nghlwb y British Legion, ac mewn ambell Lolfa (nid tafarnau fel ein rhai ni oedd ganddynt; yn hytrach fe'u gelwid yn *Lounges*). Yna ymlaen i Ellon, Elgin ac i Inverness gan aros yno mewn llety gwely a brecwast bendigedig. Y perchennog yno oedd Mrs Sadie Ross ac roedd ei thŷ yn nefoedd i ni ynghanol bwrlwm y clybiau swnllyd. Roedd tŷ Sadie fel rhai o'r tai y byddwn wedi bod ynddynt gyda 'nhad yn Nantlle – yn llawn hen bethau megis y cloc mawr yn taro ar yr awr, a'r gwely fel un ein cartref ni. Ond yr hyn a gofiaf fwyaf oedd y troli te a fyddai'n dod allan ar ddiwedd bob nos yn llawn brechdanau a theisennau cartref. Roedd noson o gwsg yma'n donig i ni i gyd.

Ymlaen â ni wedyn i'r gogledd oerach a phell, ar hyd ffordd droellog a garw i Wick, ger John O'Groats yn Caithness, i ganu yng nghlwb Dounray, sef clwb yr orsaf bŵer niwclear. Cyrhaeddsom bnawn Sul am ddau o'r gloch gyda thref Wick fel petai rhywun wedi ei bygwth gan nad oedd yr un dyn byw i'w weld yn unman. Cansom gloch y clwb – roedd gan bob aelod oriad i fynd i mewn – ac yn wir i chi, dyna lle roedd pawb. Roedd y byrddau yn gwichian o dan bwysau'r gwydrau a doedd yr un bwrdd gwag i'w weld. Y cyfan roeddwn i eisiau ei wneud oedd troi fy nghefn ar y lle a mynd am adref, ond mae John O' Groats ymhell iawn i bicio adref ar b'nawn Sul. Doedd dim i'w wneud ond cario'r gêr a pharatoi at y noson. Wrth lwc, erbyn i ni ddechrau ein perfformiad roedd y rhan fwyaf o'r gynulleidfa wedi mynd adref, diolch byth.

Fe ddychwelsom droeon i ardal Caithness, sy'n enwog am ei gwydr, a chael cyfle i fynd i weld y ffatri lle maent yn ei wneud. Yno y mae powlen enwog *Mastermind* y BBC yn cael ei gwneud, a phob tro yr aem i ganu yno o hynny ymlaen byddwn yn prynu powlen fach neu fâs i ddal blodau. Dwi'n falch fy mod wedi gwneud hyn gan eu bod yn fy atgoffa o'r dyddiau cynnar hynny.

Ni wnaf fyth anghofio canu yn y neuadd yn Wotton, eto yn ardal Caithness. Pan gyrhaeddsom y lle tua hanner awr wedi saith doedd dim siw na miw o neb ger y neuadd. Dyma ofyn i ryw gymeriad oedd yn loetran o gwmpas ble roedd pawb.

'O does neb yn dechrau yn y neuadd tan hanner nos!'

'Pryd 'dan ni fod i orffen?' gofynnais wedyn.

'Fel liciwch chi, tua thri o'r gloch maen nhw'n gorffen fel arfer ond fe gewch chi gario ymlaen hynny fedrwch chi.'

Ar ôl gosod y system sain yn ei lle, aethom i orffwyso yn y gwesty a wynebu sesiwn y nos. Fel y digwyddodd, bu'n noson wych gyda phawb yn mwynhau. Pobl debyg i ni'r Cymry ydy'r

Albanwyr ac maent wrth eu bodd yn ein cyfarfod gan ein bod yn gyd-Geltiaid, yn enwedig mor bell i fyny â Caithness. Bore trannoeth, tua wyth o'r gloch, cawsom ein deffro gan rywun yn canu o dan ein ffenest, a phan edrychsom allan, pwy oedd yno ond rhyw ddyn yn cael ei gario adref mewn berfa! A wyddoch chi beth roedd o'n ei ganu nerth esgyrn ei ben? Rhai o'r caneuon yr oeddem ni wedi eu canu yn y neuadd y noson cynt! Roedd ef wedi mwynhau'r noson yn amlwg.

Byddai'r daith yn mynd â ni i Fort William ac yna i Fife lle siaradent yn wahanol eto! Ymlaen i Gaeredin a Glasgow lle roedd ganddynt *Grand Ole Opry* eu hunain. Roedd gen i ychydig o ofn yma gan fod y lle ynghanol ardal o Glasgow o'r enw Govan. Doedd hwn ddim yn lle i ferch ar ei phen ei hun, dybiwn i. Byddwn yn falch iawn o weld ein fan a Crisp ynddi ar ddiwedd noson yma.

Ail gân ein set ni ar y daith hon oedd cân John Denver sef 'Cân Annie'. Yn Saesneg y canwn hi ar y daith i'r Alban ond fe gefais eiriau gwych Cymraeg gan ddynes annwyl iawn o'r enw Dilys Baylis o Lanberis. Yn rhyfedd iawn, yn ddi-ffael bob nos, digwyddai rhywbeth wrth inni ganu'r gân hon yn yr Alban. Un noson fe chwythodd y goleuadau a dyna lle roedd un dyn yn gosod ei ysgol ar ganol y llawr dawnsio a newid y bwlb tra oeddwn i'n dal i ganu'r gân. Yna, un noson arall wrth ganu 'Cân Annie' fe sylwodd rhywun nad oedd gennym olau o gwbl ar y llwyfan ac fe gerddodd i fyny atom gan drio pob switsh oedd yn y neuadd i geisio dod o hyd i'r un iawn hyd nes fod goleuadau'n fflachio ymhobman ond ar y llwyfan. Bu raid i mi stopio canu ar ganol y gân y noson honno.

Bu'r flwyddyn gyntaf honno'n eithriadol o flinedig ac fe ddysgais lawer iawn am fod yn 'broffesiynol'; mynd i'r gwely am dri a phedwar y bore a methu mynd i gysgu yn syth ac yna wedi blino'n aruthrol yn ystod y dydd ymhell o adref, teithio ymlaen i'r gìg nesaf a'r llais yn gwanhau. Ond ar ôl dod adref caem ddadflino ac ar ôl ychydig ddyddiau o orffwyso roeddem yn barod i fynd ar daith eto. Dwi'n cofio Tammy Wynette yn cael cyfweliad unwaith pan ofynnwyd iddi a fuasai'n hoffi cael swydd ddyddiol naw tan bump a'i hateb hi oedd 'na' – roedd hi wedi bod yn y busnes yma'n rhy hir a'i chorff hi bellach wedi arfer mynd i'r gwely am dri y bore a chodi am hanner dydd. Felly y teimlwn innau ar ôl ein blwyddyn gyntaf, er ei bod yn anodd egluro i'r twpsyn oedd yn ein ffonio ben bore yn dweud, 'O, wnes i eich deffro?' mai newydd fynd i'r gwely oeddem ni. Roedd rhai yn meddwl mai diog oeddem!

Ar ôl cyrraedd adref byddai'r peiriant golchi yn gweithio'n galed ac yna gwaith smwddio, pacio a ffwrdd â ni eto ar daith arall. Cadwodd Tony ei air ac fe gawsom ganu yng ngŵyl canu gwlad enfawr Pontins ym Mhrestatyn. Rhoddodd hyn agoriad eto i ni gael cysylltiadau â threfnwyr clybiau canu gwlad gwledydd Prydain. Cawsom wahoddiadau i ganu yng Nghanolbarth Lloegr, Swydd Efrog, Dyfnaint a Chernyw. Yno hefyd fe wnaethom ffrindiau newydd a oedd yn gwneud yr un fath â ni, sef teithio o amgylch Prydain yn trio ennill bywoliaeth. Roedd pawb yn barod i roi rhifau ffôn clybiau i'w gilydd, felly nid oedd yn rhy anodd cael gwaith os oeddech yn barod i deithio. Yr hyn oedd yn anodd oedd cael dau neu dri o gìgs heb fod yn rhy bell oddi wrth ei gilydd fel bod cost y teithio a'r gwely a brecwast ddim yn ormod. Ond yn y dyddiau cynnar hynny roeddem yn barod i fynd i unrhyw le, ac yn wir aethom i Ddyfnaint o Lan Conwy unwaith i ganu. Nid oedd y sioe'n talu digon i ni fforddio gwely a brecwast, felly, roedd yn rhaid i ni yrru adref yr un noson – taith o 700 milltir. Ond bu raid i ni gau ein llygaid am ychydig ym maes parcio un o'r gwasanaethau ar yr M6, sef yr Hilton Services. Dyna'r tro cyntaf i ni aros yn yr Hilton!

Ymhen amser fe wnaethom ffrindiau arbennig a oedd yn barod i roi gwely am noson inni; pobl gwerth eu halen oedd y rhain ac rydym yn dal mewn cysylltiad â nhw ers chwarter canrif. Roeddent yn rhannu eu tai â ni, oedd yn ddau berson diarth ar y dechrau, gan ein gwneud yn gartrefol iawn a'n bwydo'n dda. Ni wnawn anghofio Barbara a Randy Ball o Tintern, Frank a Val Watson o Barnard Castle ger Durham, Jim a Margaret Hay o Newark, Richard a Noelle o St Bosswell ger Caeredin, Jim a Mary Brown o Wycombe, Chris a Sue White o Hampshire, Bert a Pat o Brighton, Dorris a Dave o Harrogate, Jan o Efrog a llawer mwy. Soniais eisoes am Geordie West o Ganada, sef y cowboi o Galgary a fyddai'n gwisgo dillad cowboi lledr gwyn ac aur. Byddai ganddo drowsus go arbennig –'*chaps*' oedd y term iawn – ac roedd het gowboi'n gweddu iddo i'r dim gan ei fod yn ddyn golygus iawn ac yn edrych fel seren ffilm. Ar y pryd roedd ganddo dŷ yn Newark a chan mai dim ond am ychydig amser y byddai ef yn ei ddefnyddio fe adawai'r goriad i ni gael aros yn y tŷ. Dyna ydy ffrind.

Heb ffrindiau fel hyn ni fyddem wedi medru goroesi i fyw fel hyn, ond yn aml fe fu raid i ni wario ffortiwn ar lefydd i aros ynddynt. Fe agorodd y gadwyn Travelodge o amgylch y wlad a oedd yn gymorth mawr i ni; caem fynd i'r ystafell yn y p'nawn ac aros tan hanner dydd drannoeth, ond yn anffodus cododd pris ystafell yn aruthrol ac roedd yn mynd â chyfran helaeth o'n cyflog ni. Rhwng talu am y gwely a brecwast, talu am y fan, a'i thrwsio'n aml, prynu gêr newydd, petrol, dillad ar gyfer y llwyfan ac yn y blaen, doedd yr hyn yr oeddem yn ei ennill ddim yn ddigon i dalu am bopeth. Droeon byddai ein rhieni yn ein hachub yn y dyddiau cynnar gan dalu ambell fil. Ond er gwaethaf y caledi, roedd mwy na digon o lefydd yr oeddem yn dal am eu gweld, a mwy o ganeuon i'w canu, a mwy o ffrindiau newydd i'w cyfarfod.

# AR Y TELEDU A THEITHIO DRAMOR

Erbyn 1982 roeddem wedi ein sefydlu yn y byd canu gwlad ym Mhrydain yn ogystal â chanu mewn clybiau, tafarnau a neuaddau yng Nghymru. Bu inni recordio casét arall o'r enw *San Antone Rose* a oedd 100% yn ganu gwlad, yn stiwdio Eric Star yn Llandudno. Roedd Eric yn enwog yng Nghymru fel aelod o'r Anglesey Strangers yn y chwedegau ac erbyn yr wythdegau, roedd yn un rhan o ddeuawd canu gwlad Chamberlin a Star. Byddai ef a Bryn yn rhannu'r nosweithiau gyda ni yn y clwb canu gwlad ym Mae Colwyn. Roedd llais fel John Denver gan Eric ond edrychai'n debyg i Arthur Scargill! Cawsom hwyl yn recordio yn ei stiwdio – wel, os gallwch alw carafán yn ei ardd gefn yn Llandudno yn stiwdio! Nid ydym wedi chwerthin cymaint wrth recordio erioed na'r sesiwn honno. Wrth recordio cân o'r enw 'Queen of the Silver Dollar' fedrwn i ddim canu geiriau'r llinell 'The Jesters flocked around her' heb chwerthin yn afreolus ac fe gymerodd ddyddiau i'w recordio'n iawn. Mae'r chwerthin afreolus yma yn ein taro weithiau ar lwyfan a does dim y gallwn wneud yn ei gylch.

Yn y flwyddyn 1982 fe wnaethom ein hymddangosiad cyntaf ar deledu. Comisiynodd BBC Cymru gyfresi o raglenni o'r enw *Western Welsh* yn cynnwys canu gwlad o Gymru. Felly, dyma fynd am glyweliad a chael ein derbyn i gymryd rhan yn y rhaglen a oedd yn cael ei recordio o flaen cynulleidfa yn stiwdio'r BBC yng Nghaerdydd. Roeddwn yn ôl yn y stiwdio lle recordiais *Disc a Dawn* ddeng mlynedd ynghynt. Does dim teimlad 'run fath â mynd o flaen camera teledu; mae'n rhoi rhyw ffics o adrenalin i chi, ac felly y bu hi y tro hwn hefyd. Yn y rhaglen *Western Welsh* roedd artistiaid yn canu dwy gân a Bob Mc'Clure yn arwain. Ar y rhaglen hon hefyd roedd Anne Coates (merch o'r un pentref â ni bryd hynny yn digwydd bod), deuawd o'r enw Jones a Jones (dau frawd o'r canolbarth), y grŵp Clovis o dde Cymru – oedd â harmonïau bendigedig – a Tumbledown Wind, grŵp o ochrau Caernarfon oedd yn canu gwlad ers blynyddoedd ac wedi ymddangos yn arena Wembley yn yr ŵyl flynyddol. Bu colled aruthrol i'r byd canu gwlad yng Nghymru pan fu farw Ifan, eu prif leisydd, yn ifanc iawn. Hefyd ar y rhaglen hon roedd gŵr o Ganada o'r enw Dallas Harms; wn i ddim beth oedd ei gysylltiad â Chymru ond gwn ei fod yng Nghaerdydd ar y pryd a'i fod wedi cyfansoddi cân o'r enw 'Paper Rosie' a oedd yn *hit* yn yr wythdegau. Fe wnaethom fwynhau'r diwrnod yn fawr iawn ond nid oedd edrych ar y rhaglen yn rhoi'r un teimlad o gwbl. Roeddwn wedi gwisgo ffrog wen oedd a les arni – delwedd canu gwlad – ond mae teledu yn eich gwneud i edrych stôn yn drymach a doeddwn i ddim yn hoffi'r hyn a welais – diet amdani wedyn! Yn anffodus, peth gweladwy yw teledu ac fe gewch eich barnu ar yr hyn yr ydych yn ei wisgo yn hytrach na'r ffordd yr ydych wedi canu – y ddelwedd sy'n bwysig ac mae radio'n gadael llawer mwy i'r dychymyg ac mae'n rhaid i'r gwrandawr ganolbwyntio ar y canu.

Rhaglen deledu arall yr ymddangosom arni oedd y rhaglen *Gwlad, Gwlad*, oedd i'w recordio yn y Majestic Caernarfon, hen dŷ pictiwrs a oedd erbyn hyn yn glwb nos. O'r diwedd dyma raglenni o ganu gwlad yn y Gymraeg ac roedd pob artist i gael hanner awr ei hunan gyda gwestai arbennig. Wel, teimlwn fel gweiddi geiriau Geraint Jarman, 'I've arrived dyma ni!' Geraint Griffiths oedd yn arwain y rhaglenni, ac roedd gennym fand mawr ar y llwyfan gyda dwy gantores i ganu lleisiau cefndir, sef Toni Carrol a Linda Jenkins. Y tro hwn fe wisgom ni ddillad du gan ganu cryn dipyn o ganeuon i lenwi hanner awr. Cawsom nifer o gyfieithiadau gan gyfansoddwyr Cymraeg a dyma'r tro cyntaf i ni ganu geiriau Emyr Huws Jones, er ein bod eisoes yn canu rhai Dilys Baylis o Lanberis.

Saesneg yw iaith gyntaf Andy ac ni wnaf i byth anghofio iddo gyflwyno un gân ar y rhaglen yn Gymraeg. Roeddwn i'n eistedd ger y piano ac roedd Andy'n darllen y cyflwyniad oedd wedi ei ysgrifennu mewn llythrennau mawr ar bapur oedd yn hongian y tu ôl i mi allan o olwg y camera. Roedd pawb yn meddwl mai gwenu i fyw fy llygaid i roedd o ond canolbwyntio ar y geiriau y tu cefn i mi roedd o! Fe wnaethom fwynhau recordio'r rhaglen hon a chael canu 'Sêr ar y Tonnau' gyda Geraint Griffiths.

Bu inni ymddangos ar ddwy raglen arall – y naill wedi'i recordio o'r Arcadia yn Llandudno ac wedi'i chynhyrchu gan Huw Jones a'r llall o Theatr Gwynedd Bangor lle roeddem yn westai i Traed Wadin, sef Dylan Parri a Neville Jones, ar eu rhaglen *Yng Nghwmni Traed Wadin.* Nid anghofiaf fyth y dillad brown, erchyll a wisgem ar y rhaglen hon, ond yr uchafbwynt y tro hwn oedd cael canu deuawd gyda Dylan. Teimlwn yn llawer mwy cartrefol yn cael canu gwlad yn fy iaith fy hun ac yn fy ngwlad fy hun. Ond doedd yna ddim digon o waith i ennill bywoliaeth yn fy mamiaith ac felly roedd yn rhaid mynd i ffwrdd eto, a'r tro hwn roedd yn rhaid cael pasbort.

Wrth i wyliau canu gwlad ym Mhontins ddod yn fwy poblogaidd penderfynodd y trefnwyr roi cynnig ar un debyg dramor, gyda'r gyntaf o'r rhain ym Mallorca. 'Holiday Club International' oedd enwau'r gwersylloedd gwyliau tramor a dychmygwch sut oedden ni'n teimlo pan gawsom y gwahoddiad i fynd draw yno i ganu gyda Tony Best, Bob Newman a Carol Gordon, Johnny Spencer (sydd yn drist iawn wedi marw'n ddiweddar), Geordie West o Ganada, Sunny Lee Martin, a heb anghofio Ben Steneker o'r Iseldiroedd oedd yn hoffi torheulo'n noethlymun; cymeriad ar y naw oedd o hefyd. I ffwrdd â ni gan hedfan i'r ynys heulog ac aros yn Cala Mesquida oedd ar draeth bendigedig ar ochor dawel yr ynys hon.

Yn anffodus nid oedd y staff adloniant yno yn ein hoffi ni ar y dechrau gan ein bod wedi dod yno a chymryd eu lle nhw drosodd. Fe wnaethant eu protest drwy gloi'r system sain newydd mewn cwpwrdd a rhoi un hen iawn i ni ganu drwyddo. Dwi ddim yn meddwl ei fod wedi cael ei ddefnyddio ers amser y rhyfel ac roeddem i gyd i'n clywed yn uffernol. Ni'n dau oedd y cyntaf i ganu ar y noson agoriadol; roedd y gynulleidfa'n barod yn eu seddau yn edrych ymlaen yn eiddgar at y gân gyntaf i gael ei chanu mewn gwlad dramor, ond, o diar, am sain ofnadwy ddaeth allan o'r seinyddion! Felly, ar ôl un gân fe fu raid i ni stopio canu a chael cyfarfod brys gyda rheolwr adloniant y lle. Cafwyd cyfarfod stormus iawn ond cytunodd y rheolwr i roi allwedd y cwpwrdd i ni, a dyna ddechrau gwell i'r wythnos fendigedig honno. Bu inni gyfarfod â nifer fawr o bobl yno, ac mae rhai yn dal yn ffrindiau hyd heddiw. Yn wir, mae dau ohonynt, sef Jim a Margaret Hay o Newark, swydd Lincoln, yn dal i ddychwelyd i'r union le ar eu gwyliau blynyddol, sy'n dangos pa mor unigryw yw'r lle.

Ymhen blwyddyn aethom i westy Pontinental yn Torremolinos, Sbaen, a daeth fy mam gyda ni y tro hwn gan wneud ffrindiau newydd yno. Mae'r bobl sy'n dilyn y canu gwlad yn bobl gyfeillgar iawn ac ar ôl ychydig amser yn eu mysg fe ddowch yn ffrind agos. Yno roedd gŵr o'r enw Bob Everheart o Iowa, America, yn perfformio; canu cerddoriaeth y Tir Glas (*Blue Grass*) oedd Bob. Na, nid rhywbeth yr ydych yn ei ysmygu yw hynny ond cerddoriaeth acwstig. Daethom yn ffrindiau yn ystod yr wythnos a theimlem ein bod yn perthyn i'r math hwn o gerddoriaeth. Cawsom ambell sesiwn gyda Bob, a ni'n canu harmonïau. Mae'n rhaid ein bod wedi ei blesio gan iddo ofyn i ni a hoffem ymuno ag ef yn ei ŵyl canu gwlad yn Avoca, Iowa, yn America y flwyddyn ganlynol! Nid oedd yn rhaid i ni feddwl dwywaith am ateb i hynny.

Un peth arall a ddaeth allan o'r wythnos yn Torremolinos oedd cael gwahoddiad gan Bridie Reed, y bòs, i ganu yn un o'r gwersylloedd gwyliau dramor, a'r un yr hoffai i ni fynd iddo oedd Tenerife am bythefnos. Ni chynigiai gyflog am fynd, ond yr oll roedd angen i ni ei wneud oedd canu dwy noson yr wythnos fel rhan o'r sioe ryngwladol, ac am hynny caem ein hedfan yno a chael lle i aros a'n holl fwyd. Meddyliwch sut bythefnos oedd honno yn gorwedd ger y pwll nofio bob dydd a gwledda gyda'r nos, dim ond i ni ganu ychydig ganeuon. Roedd y canu Cymraeg yn cael ei dderbyn yn arbennig o dda yno gan fod y rhan fwyaf o'r gynulleidfa'n dod o Ewrop. Ni wnaf byth anghofio'r canwr oedd yn dod o'r Almaen a ganodd 'Velolm To My Vorld'. Dychwelsom droeon i Tenerife i ganu.

Felly, yn 1984, aethom i'r Unol Daleithiau ac i Avoca, Iowa, i ganu. Mae tirwedd Iowa yn hollol wastad – fel sir Fôn – ac amaethyddiaeth yw eu prif fywoliaeth. Yr eitem gyntaf bob dydd ar eu radio oedd pris eu moch, neu'r '*hogs'* fel y gelwid nhw yno. Pan gyrhaeddsom yno, credais yn siŵr ein bod wedi cerdded ar set hen ffilm Americanaidd. Roedd yna stryd lydan heb yr un llinell wen lawr y canol, siopau bach a thafarnau – barrau – a'r cyfan wedi'u codi o bren. Roedd pawb yn gyfeillgar, tynnai'r dynion eu het gowboi gan eich cyfarch gyda 'Howdi, maam,' – dyna i chi gwrteisi, 'te. Mae gan ddynion Pwllheli dipyn i'w ddysgu!

Mewn cae anferth y cynhelid yr ŵyl ganu Tir Glas a dyna i chi sioc a gawsom pan welsom faint yr ŵyl hon. Daeth miloedd o bobl o bob rhan o America am y tridiau i'r lle bychan yma – rhai yn aros yn eu carafannau a'u *campers* enfawr a rhai yn aros yn y gwestai oedd i gyd yn llawn. Cerddoriaeth draddodiadol oedd yn yr ŵyl yma, a phawb yn chwarae offerynnau acwstig. Bu'n rhaid cael caniatâd i Andy gael chwarae ei gitâr fas drydan; fo oedd yr unig un yno yn defnyddio'r fath offeryn. Mae'r creadur wedi trio chwarae bas dwbwl mawr ond wneith ei fysedd bach o ddim gweithio gyda gwddw anferth yr offeryn hwnnw. Ni welais ac ni chlywais ers hynny gymaint o bobl dalentog mewn un cae yn chwarae eu ffidil, eu banjo, eu bas dwbwl, eu gitâr neu eu dobro. Roedd cerddoriaeth ym mhobman drwy'r dydd a'r nos.

Roedd y maes wedi ei rannu yn debyg i'n Heisteddfod Genedlaethol ni gyda llwyfannau a stondinau o'i amgylch yn gwerthu pob math o grefftau. Prynais gloc pren hyfryd wedi ei beintio'n raenus â llaw mewn patrwm glas bendigedig ac mae tinc fel cloc hen ffasiwn arno'n dal i dincian yma yn Chwilog heddiw a dim ond unwaith dwi wedi newid y batri!

Roedd yno gystadlaethau dawnsio o bob math, dawnsio gwerin a dawns y glocsen a chystadlaethau canu gwerin a chanu gwlad. Bu raid i ni feirniadu dwy gystadleuaeth; Andy i fynd i un sièd fawr i feirniadu canu gwlad a minnau i sièd arall i feirniadu'r canu gwerin! Ni welsom ein gilydd drwy'r p'nawn.

Daeth yn amser i ni ganu ar y llwyfan gyda'r nos yn y cyngerdd mawr ar y nos Wener. Dyma'r tro cyntaf i ni ganu o flaen miloedd o bobl am ddeg o'r gloch y nos a ninnau'n dal i chwysu yn y gwres a chynulleidfa'n eistedd y tu allan ar eu cadeiriau haul! Rhywbeth nad oeddem yn gyfarwydd ag o tan i ni fynd i'r America oedd fod cynulleidfa'n rhoi cymeradwyaeth ar ôl rhyw ddwy linell o ganu pennill cyntaf eich cân er mwyn dangos eu bod yn hoffi'r hyn rydych chi'n ei wneud. Daethom i arfer â hyn yn ystod y penwythnos ac roedd yn deimlad cysurus iawn i glywed y dwylo'n clapio mor gynnar mewn cân.

Un bore cawsom ganiad ffôn gan Bob yn gynnar iawn yn ein gwesty. Dim ond pump o'r gloch y bore oedd hi pan ofynnodd i ni fod yn barod i'n cludo i leoliad hanesyddol ger Avoca lle arwyddwyd cytundeb heddwch rhwng yr Indiaid Cochion a'r cowbois. Na, nid oedd am inni wneud yr un fath rhwng y Cymry a'r Americanwyr. Ond roedd criw teledu am wneud adroddiad am ei ŵyl yn Avoca ar raglen frecwast oedd yn mynd allan ar draws Iowa a hoffai inni ganu yn Gymraeg ar y rhaglen. Meddyliwch am America yn deffro i ddau o Gymry'n canu 'Moliannwn' wrth fwyta eu *bagels*! Yn canu gyda ni roedd gŵr o'r enw Elmer Bird, 'The Banjo Man from Turkey Creek Missouri'. Rydym yn dal i dderbyn cerdyn 'Dolig ganddo hyd heddiw. Pan aethom i'r banc fore trannoeth i gael arian dywedodd yr ariannwr, '*We don't need ID for these Welsh folks – I saw them on tv this morning*!' Dyna i chi enwogrwydd!

Y noson olaf bu storm enbyd a roddodd ddiwedd ar yr ŵyl o flaen ei hamser, felly aeth criw ohonom i'r gwesty a chyda chwrw mewn jwg – neu *pitchers* fel y gelwid hwy – gitâr yn ein dwylo a chwmni o ffrindiau newydd, yno y buom yn canu hyd berfeddion y bore. Cawsom noson wych yng nghwmni dau ddyn busnes cyfoethog iawn o Ohio oedd yn dod bob blwyddyn i'r ŵyl gan wisgo fel cowbois a mwynhau eu hunain gyda'u gitarau Martin sydd werth miloedd. 'Rebals wîcend go-iawn' oedd y rhain.

Ar ddiwedd yr ŵyl dyma achub ar y cyfle i weld mwy ar y wlad, gan logi car i fynd ar draws Nebraska i Colorado. Yno yn Denver wrth inni brynu tocynnau i gyngerdd grŵp o deulu o'r enw The Whites, digwyddodd inni sylwi ar eu bws enfawr yn y maes parcio. Daethant hwy oddi ar y bws gan ein gwahodd i eistedd ynddo. Nid oeddwn wedi gweld y fath beth o'r blaen – roedd ynddo gadeiriau esmwyth a theledu, stôf a sinc a gwelyau. Buasai bywyd ar y ffordd yn werth ei fyw pe byddai bws fel hyn gennym ninnau yn hytrach na'r hen fan felen gyda dwy sach gysgu yn y cefn! Cawsom dynnu ein lluniau gyda nhw a'u chwaraewr dobro, sef Gerry Douglas. Yna sylwais fod Andy â'i ben mewn map yn trafod gyda gyrrwr y bws y ffordd orau iddynt fynd i'w cyngerdd nesaf! Pwy fyth fyddai'n credu bryd hynny y byddem, ymhen ugain mlynedd, yn yr ystafell newid drws nesaf iddynt yn ystod ein hymddangosiad hanesyddol ar y *Grand Ole Opry* yn Nashville? Wrth i'r haul fachlud dros y Rockies yn llawer rhy fuan, roedd yn rhaid i ni ddychwelyd adref i barhau â'r bywyd rhyfeddol yma.

# Byw ar y Lôn

Daeth ein blwyddyn waith i ddatblygu patrwm, a chan nad oedd gwaith ym mis Ionawr byddem yn swatio yn y tŷ yn bwyta lobsgows a dysgu caneuon. Dyma'n cyfle i ymarfer caneuon newydd sbon gyda fi yn chwarae gitâr a phiano bach trydan ac Andy ar y gitâr fas. Byddem yn gosod ein system sain yn ein parlwr. Roedd y gêr hyn yn gostus iawn gan fod angen cael y system sain ddiweddaraf a byddem yn gwario tua thair mil o bunnau ar gael system dda. Ein cryfder oedd bod y ddau ohonom yn gallu canu'r alaw a bod yn brif leisydd yn ogystal â chydgordio mewn harmoni gyda'n gilydd. Gan fy mod i'n hoff iawn o'r baledi ac Andy yntau'n hoff o'r canu roc a chaneuon gyda thipyn o fynd arnynt, gallwn gynnal unrhyw fath o noson – boed hi'n ddawns, cyngerdd mewn theatr, noson uniaith Gymraeg, noson uniaith Saesneg, neu'n noson ddwyieithog. Mae'r gallu yma yn un o'r prif resymau pam ein bod wedi medru ennill bywoliaeth am chwarter canrif.

Caneuon gan artistiaid o America oedd orau gennym i'w perfformio a chan fod y clybiau canu gwlad yn hoffi clywed y caneuon hyn, roeddem o hyd yn dilyn yr hyn oedd yn digwydd yn Nashville. Roedd artistiaid fel Ricky Skaggs, John Starling, Randy Travis, Emmylou Harris, Linda Ronstadt a Pattie Loveless – dim ond i enwi rhai – yn dechrau gwneud argraff yn America a'r munud y daethant ag LP newydd allan roedd yn rhaid i ni ei phrynu er mwyn dysgu eu caneuon. Roedd pobl yn ein llongyfarch am ddysgu caneuon newydd yn aml a byddem wrth ein boddau yn cael ein cydnabod fel artistiaid 'New Country' ar y pryd. Ar ben hyn derbyniem ganeuon oedd wedi eu haddasu gan Dilys Baylis o Lanberis ac edrychem ymlaen at yr amlen frown a ddôi drwy'r post. Byddai fy nhad hefyd yn ysgrifennu caneuon i ni ac felly, pa well mis na Ionawr i ddysgu'r caneuon yma.

Yn aml ar ddechrau blwyddyn byddem yn cael gwaith nad

oedd yn rhy bell o'n cartref yng Nglan Conwy. Roeddwn wrth fy modd yn cael canu yn y Bee yn Eglwysbach, yn Holland Arms yn Nhrofarth, yn y clybiau ar Ynys Môn ac yng Nghaernarfon a Bangor. Gallem ddod adref ar ddiwedd y rhain a mynd i'n gwely ein hunain – llawenydd mawr!

Pan oeddem yn dweud wrth bobl am y llefydd pell y canem ynddynt eu hymateb fan amlaf oedd, 'Braf arnoch chi'n cael mynd yn bell ac yn cael gweld llefydd.' Ond yn aml nid oedd gobaith gweld unlle gan y byddem yn teithio ar hyd traffyrdd prysur, cyrraedd y gìg, canu, dadbacio'r gêr, cysgu ac ymlaen i rywle arall y diwrnod canlynol, felly doedd dim amser i ymweld â'r llefydd hyn. Daeth pethau'n well pan oedd gennym fwy nag un sioe i'w chynnal mewn un ardal. Golygai hyn y gallem fynd i weld llefydd o amgylch Prydain, llefydd nad oeddwn wedi clywed amdanynt o'r blaen. Mae yna lefydd diddorol iawn i ymweld â hwy ac rydym erbyn heddiw'n mynd yn ôl i'r ardaloedd hynny: Swydd Efrog, Dyfnaint, ffiniau'r Alban, Iwerddon – heb anghofio Cymru wrth gwrs. Gallwn ysgrifennu llyfr arall am yr hyn sydd i'w weld a'i wneud mewn gwahanol drefi ac yng nghefn gwlad Prydain.

Y sioeau yr hoffem orau oedd y rheiny pan gaem aros yn yr un lle ag yr oeddem yn canu ynddo. Digwyddai hyn droeon yn y gwyliau canu gwlad a drefnid gan Tony Best. Gadawodd ef Pontins a sefydlu gwyliau ei hun mewn amryw o lefydd. Bu inni ganu droeon yng ngwesty mawr y Norbreck Castle yn Blackpool, lle roedd Tony wedi trefnu penwythnos o ganu gwlad; roedd hi'n fendigedig canu a chael aros dros nos. Llefydd eraill y digwyddai hyn oedd y gwersyllau gwyliau/carafán, rhai yn Scarborough, Weston-Super-Mare, Berwick-upon-Tweed a Great Yarmouth. Byddem yn aros mewn carafán neu *chalet*, a'r hyn a gofiaf fwyaf oedd y cydganu gyda'n cyd-artistiaid ar ddiwedd y nos, un ai yn y bar neu yn un o garafannau'r grŵp oedd wedi cymryd rhan y noson honno. Cawsom aml sesiwn gyda Colorado (grŵp o ogledd yr Alban), yr Hillsiders a Kenny Johnson o Lerpwl. Un tro ymunodd Americanwr o'r enw Dan Cassidy yn un o'r sesiynau gan chwarae ei ffidil a'i gitâr fas, ac mae gen i gof iddo sôn am chwaer oedd yn canu adref yn America. Flynyddoedd yn ddiweddarach fe glywsom lais arbennig Eva Cassidy a chofiwn mai hi oedd chwaer Dan! Byddai'r sesiynau hyn yn parhau tan berfeddion y bore. Gwelsom y wawr yn torri droeon yn Scarborough wrth gerdded ar hyd llwybrau'r gwersyll yn chwilio am ein carafán ni! Dim ond rhyw bedair awr o gwsg a gaem cyn gorfod perfformio yn y sioe foreol am un ar ddeg y bore. Roedd gan Tony lygaid craff; gwyddai pwy oedd â llygaid coch ac fe gâi foddhad mawr yn gofyn i ni agor y sesiwn foreol am hanner awr. Dwn i ddim sut y gwnaem hynny ar gyn lleied o gwsg, ond pan ydych yn ifanc mi fedrwch wneud unrhyw beth!

Ar ddechrau'r wythdegau dechreusom dderbyn gwobrau am y perfformwyr gorau gan y clybiau canu gwlad. Rhywbeth arbennig gan y clybiau bach ledled Prydain oedd y rhain. Y wobr gyntaf a gawsom oedd gan orsaf radio'r Midlands, sef Signal Radio, am yr act newydd orau. Teitl y wobr oedd yr 'Horizon Award' ac fe'i cyflwynwyd i ni yn y clwb canu gwlad hwnnw yn Crewe – lle priodol iawn gan mai yno y cychwynnodd ein gyrfa. Roedd derbyn gwobrau fel hyn yn golygu ein bod wedi cael ein derbyn gan werin bobl y byd canu gwlad ac roedd yn glod mawr i ni. Mae gennym lond cwpwrdd o'r gwobrau hyn a daw pob un ag atgof da yn ôl i ni. Anrhydedd arall oedd cael ein dewis i fod yn llywydd ar ddau glwb, y naill yn Swydd Efrog mewn lle o'r enw Kirby Malzeard, pentref delfrydol yn ardal James Herriot, a'r llall mewn lle o'r enw South Woodham Ferrers ger Colchester.

Gan i Tony Best fynd ati i ganolbwyntio ar redeg ei fusnes hamdden, fe wnaethom ninnau drefnu ein teithiau ein hunain gan sefydlu band i ganu yn yr Alban. Roeddem wedi cyfarfod merch ifanc iawn o'r enw Sarah Jory yn Nyfnaint ac roedd ganddi dalent arbennig iawn. Roedd wedi bod yn chwarae'r offeryn anodd hwnnw, y gitâr ddur, ers ei bod hi'n bump oed! Er mai yn ei harddegau yr oedd hi bryd hynny roedd wedi bod droeon yn America yn perfformio a chai ei chydnabod fel un o'r goreuon ym Mhrydain – tipyn o gamp i unrhyw un, ond yn enwedig i ferch. Byddai ei rhieni yn ei thywys o amgylch y wlad ac yn wir, roedd Arthur ei thad wedi rhoi'r gorau i'w waith gyda chwmni enfawr Coca Cola er mwyn bod yn rheolwr arni ac roeddem yn lwcus iawn o'i chael yn ein band ni i deithio. Felly y bu am ychydig flynyddoedd, a chyda George ar y drymiau a Sarah ar y gitâr ddur, fe fuom yn teithio hyd a lled Prydain.

Roedd mynd â merch mor ifanc i rai o glybiau gogledd yr Alban yn dipyn o fygythiad a sialens i ni i gyd, ond doedd dim yn poeni Sarah oherwydd fod ei rhieni yn gefn iddi ar hyd y ffordd. Un tro roeddem yn canu yn Peterhead ger Aberdeen lle y byddai morwyr o Norwy a rhai o'r dynion oedd yn gweithio ar y llwyfannau olew yn dod i ymlacio'n llwyr drwy wario eu cyflog ar ddiod feddwol. Roedd y dynion mawr hyn yn hoff iawn o ddawnsio gan daflu eu partneriaid o amgylch y llawr dawnsio.Yn anffodus nid oedd llwyfan yn yr ystafell er mwyn i ni fod yn ddigon pell o'r arferiad hwn a bu i un o'r dynion hyn daflu un ferch mor uchel fel y tarodd ei choesau yn erbyn y peth dal ein meicroffon. Roedd tad Sarah yn sefyll o flaen y gitâr ddur – oedd yn werth miloedd o bunnau – yn gwarchod ei ferch a George ar y drymiau yn gweiddi, 'Daliwch ati! Peidiwch â stopio!' Doedd dim drwg yn y dynion, dim ond dod yno i fwynhau eu hunain a wnaent ac ni welsom yr un ohonynt yn cwffio. Rhaid sôn yma mai o Peterhead y daw teulu Andy, sef y Boggies, ac mae ganddynt eu tartan eu hunain!

Roedd clybiau canu gwlad yn dechrau cael eu sefydlu yng Nghymru hefyd. Roedd un yn Llanberis yn cael ei redeg gan Ifan o'r grŵp Tumbledown Wind, a gwae chi pe siaradech pan oedd yr artist yn perfformio yno! Byddai Ifan fel tarw yn mynd ar y meicroffon a siarad fel prifathro gan wneud i'r person oedd yn euog gywilyddio! Roedd clwb arall yn Wrecsam yn cael ei redeg gan Jeff Cliffson, a chlybiau eraill ym Machynlleth, Abertawe, Aberaman. Yna roedd clwb yr 'Heads of the Valleys' yng nghymoedd y De yn Ystrad Mynach; Ron Jones oedd yn gyfrifol am hwn ac roedd ganddo lais bendigedig, fel Marty Robbins, a byddai ef ei hun yn canu tra oeddem ni yn cael ein seibiant. Byddem bob amser yn mwynhau ymweld â'r clwb yna er bod cryn nifer o risiau i'w dringo wrth gario'r system sain.

Er mai ychydig iawn o glybiau canu gwlad oedd yng Nghymru yn yr wythdegau, eto byddai rhai mannau'n cynnal nosweithiau o ganu gwlad yn ogystal â mathau eraill o gerddoriaeth yn ystod y flwyddyn. Aberffraw oedd y lle cyntaf yng Nghymru i ni ganu gyda Sarah Jory ar y gitâr ddur. Enw'r dafarn oedd y Prince Llewelyn, neu'r Prince fel y gelwir hi, gyda Glyn a Morwena Jones wrth y llyw. Byddai'r dafarn fach yma o dan ei sang bob tro y byddem yno gyda'r awyrgylch gorau posib. Llwyddodd Glyn gan fentro gwahodd nifer o artistiaid enwog y byd canu gwlad i'r Prince. Fe ganodd hyd yn oed Charlie Landsborough yno cyn iddo ddod yn enwog; mae'n rhaid i rywun ddechrau yn rhywle debyg! Roedd John Dudley Davies yn dal i gynnal sioeau canu gwlad yn Llanidloes ac fe aethom yno unwaith gyda Sarah i berfformio i ginio blynyddol y Red Arrows. Rydym ni'n dal i ganu yno gan ganu mewn un cyngerdd yn ddiweddar i gannoedd o bobl. Yn anffodus bu John Dudley farw yn 2004 wrth inni ysgrifennu'r llyfr hwn, ac mae fy nyled yn fawr iddo am fy nechrau yn y byd canu gwlad yn y saithdegau ac rydym yn ddiolchgar iddo am ein cynnwys droeon yn y nosweithiau yn Llanidloes – bydd colled fawr ar ei ôl.

Roedd clwb canu gwlad Bae Colwyn yn mynd o nerth i nerth ac fe symudodd o Abaty'r Rhos i'r Four Oakes ym Mharc Eirias, Bae Colwyn, a buom yn canu bob nos Sul am ddeufis yn ystod yr haf am nifer o flynyddoedd yn yr wythdegau. Byddai gennym westai wythnosol a byddai nifer fawr o bobl o bob rhan o Brydain yn ymweld â ni.

Daliem i deithio llawer. Ond dywedwch i mi pam fod cerbyd rhywun yn torri lawr yng nghanol glaw neu eira oer y gaeaf? Fyddai hyn byth yn digwydd yng nghanol haf poeth – o na, mae'n rhaid i ni fod yng nghanol unlle am dri o'r gloch y bore ar ein ffordd adref, neu yng nghanol niwl dychrynllyd gyda sioe bwysig i'w gwneud gan milltir i ffwrdd – fel 'na roedd hi arnom ni. Ar ôl i'r fan Toyota Hiace fynd rownd y cloc bron ddwywaith, cawsom un wen, ac yna, ar ôl i honno orffen ei dyddiau fe gawsom am y tro cyntaf yn ein bywyd fan goch newydd sbon. Toyota Liteace oedd hon ac er ei bod yn un go handi i mi ei gyrru nid oedd llawer o bŵer ynddi, ac roedd rhaid newid gêr droeon wrth deithio yn erbyn gwynt. Dwi ddim yn meddwl eu bod yn cael llawer o eira yn Japan achos nid oedd ein fan fach ni yn hoffi'r stwff gwyn.

Y noson waetha a gawsom oedd yng nghlwb y Gwyddelod

yng Nghasnewydd. Wrth inni yrru drwy ganolbarth Cymru daeth yna olau coch ar y panel clociau yn dweud bod ein peiriant eiliadu, yr *alternator*, ar fin gorffen ei oes. Golygai hyn na fyddai gennym olau ymhen ychydig amser. Penderfynsom ddal ati ac os cyrhaeddem Gasnewydd, caem ganu a chaem ein talu beth bynnag. Wrth inni agosáu at y dref yng nghanol niwl rhewllyd fe ddiffoddodd y goleuadau a dyma fi'n trio cofio sut i wneud arwyddion gyda fy mreichiau i ddangos ein bod yn troi i'r dde. Cyrhaeddom y clwb am saith o'r gloch – dim ond iddynt ddweud wrthym nad oeddem i ddechrau canu tan un ar ddeg! Araf iawn aeth y pedair awr hynny ond o'r diwedd cawsom ddechrau canu. Nid cyngerdd oedd y noson yma, fe wyddem hynny, ond nid oedd dim wedi ein paratoi at yr hyn a ddigwyddodd. Ar ôl hanner awr o ganu roedd y lle'n orlawn ac, yn sydyn, dechreuodd rhai gwffio ar ganol y llawr dawnsio ac ar ben popeth dyma reolwr y clwb ei hun yn ymuno â nhw gan daro pawb â'i bastwn. Doedd dim i'w wneud ond pacio'r gêr, cael ein harian gan y ferch tu ôl i'r bar a mynd i eistedd yn y fan. Ond wrth gwrs nid oedd gennym olau ar y fan, felly, dyma ffonio'r AA ac yna y buom yn eistedd tan hanner awr wedi dau y bore ger dociau diflas Casnewydd. Bu'n rhaid i ni newid cerbyd i'n cludo ni adref deirgwaith y noson honno a chyda Crisp yr ast yn crynu yn y Toyota a ninnau yn fan fawr yr AA yn tynnu'r Toyota, cyrhaeddsom adref am wyth o'r gloch y bore. Dyma'r noson yr oedd dysgu mewn ysgol fach yn y wlad yn apelio'n fawr ataf. Roeddem yn sychedig, yn llwglyd ac yn rhewi a doedd dim i'w gymharu â cherdded drwy ddrws ffrynt ein tŷ y bore hwnnw.

Cynhaliwyd gŵyl canu gwlad yn Arena Wembley, Llundain, bob Pasg ac yn 1984 penderfynwyd rhoi sioe ymylol mewn canolfan gynhadledd foethus iawn a oedd ynghlwm wrth y lle. Sioe i gynnwys artistiaid o wledydd Prydain yn unig oedd hon ac roedd i'w chynnal yn ystod y tri phrynhawn gan nad oedd y sioeau gyda'r Americanwyr yn dechrau yn yr arena fawr tan gyda'r nos. Cawsom ein gwahodd i gynrychioli Cymru yn y sioe hon; *Best of British* oedd ei theitl, a chyda Sarah Jory ar y gitâr ddur fe gawsom dderbyniad gwych, yn enwedig y gân olaf a oedd yn un o'n ffefrynnau ar y pryd, sef 'Pererin Wyf'. Fe gymersom ran yn yr ŵyl hon am nifer o flynyddoedd ond roedd gennym freuddwyd o gael ymddangos yn yr arena ei hun ryw diwrnod.

Dechreuodd Andy ysgrifennu i gylchgrawn canu gwlad, sef *International Country Music News*, gan sôn am yr hyn a ddigwyddai yng ngogledd Cymru yn ogystal ag adolygu'r recordiau diweddaraf. Yn sgil hyn, tra oeddem yn Wembley, cawsom fynd i wrando ar artistiaid o America yn rhoi cyfweliadau i'r wasg – enwau mawr fel Johnny Cash, Conway Twitty, Loretta Lynn, Tammy Wynette, y Bellamy Brothers, David Allan Coe, Merle Haggard, Boxcar Willie a'r Nitty Gritty Dirt Band a mwy. Oherwydd yr ŵyl hon, roedd y Pasg yn y dyddiau cynnar hynny yn gyfnod cyffrous iawn.

Ble bynnag y teithiem, roedd ein hast fach Crisp gyda ni. Daeth yn adnabyddus drwy'r wlad gan y deuai i mewn i'r adeilad yng nghanol y gaeafau oer ac eistedd yn ei basged. Daeth i adnabod ein cân olaf gan ein bod bob amser yn gorffen â 'Pererin Wyf' neu 'Myfanwy' neu 'Mor Fawr Wyt Ti'. Un tro ar sgwâr Caernarfon, pan ymddangosom yng ngŵyl tref Caernarfon ar b'nawn poeth iawn yn yr haf, fe ddechreuodd gyfarth yn ddi-baid ar ganol 'Pererin Wyf', gan neidio i fyny ac i lawr yn y sedd flaen gyda fy Wncwl Gareth yn ceisio'i orau glas i'w distewi gan dynnu ar ei thennyn, ond doedd dim yn tycio. Un tro daeth ar y llwyfan mewn neuadd bentref wrth inni ganu ein cân olaf a phawb yn dechrau chwerthin ar ganol fy nghân! Ond yng ngwersyll Pontins yn Weston-Super-Mare nid oedd cŵn yn cael dod ar gyfyl y lle. Roedd hyn yn dipyn o broblem i ni a ninnau ddau gan milltir o gartref! Felly doedd dim amdani ond ei smyglo i mewn gan ei chuddio yng nghefn y fan o dan flancedi ac yna rhoi tâp o gerddoriaeth yn uchel cyn anelu at giatiau mawr y gwersyll lle roedd swyddogion diogelwch yn eich stopio a'ch holi. Trwy ryw lwc aethom drwy'r giatiau ac i mewn â ni. Ond nid hynny oedd diwedd y stori; roedd yn rhaid i ni gael Crisp i mewn i'r *chalets*, felly dyna'i lapio mewn blanced i'w chario mewn! Golygai hyn nad oedd modd iddi wneud ei busnes yng ngolau dydd – roedd yn dechrau tywyllu am bedwar yr adeg honno o'r flwyddyn – ond yn anffodus digwyddodd y gwaethaf ac o! am yr olwg y bu'n rhaid i ni ei glirio yn y *chalet*! Roedd yr holl brofiad yn ormod i Crisp druan. Ar ôl hyn byddem yn ei gadael hi gyda mam Andy pan oedd gennym sioe yn Pontins er nad oedd yn rhy hapus i wneud hynny gan ei bod yn mwynhau teithio yn y fan gyda ni.

Achlysur arall sy'n fyw yn y cof o ran Crisp yw pan oeddem un tro yn canu yn yr Alban. Byddem yn ei gadael gyda'r nos ar ei blanced yn y fan gyda phowlen o ddŵr a bisgedi i'w chadw'n hapus ond pan edrychodd rhywun drwy'r ffenest fe gyfarthodd arno gymaint fel bod y person wedi dychryn gan fygwth dweud wrth yr RSPCA ein bod yn greulon! Fe ddywedodd George, ein drymiwr, ychydig eiriau i sicrhau'r dieithriaid fod Crisp yn gi hapus iawn ac na châi well rhieni na ni!

Mae'n rhaid i ni ddweud fod y dyddiau cynnar hyn wedi bod yn rhai gwych ac ni newidiem ddim arnynt. Roedd yn hawdd cael gwaith yr adeg honno; byddai trefnwyr y clybiau canu gwlad yn eich ffonio a buan roedd ein dyddiadur yn llawn o waith am y flwyddyn.

Dyma'r dyddiau cyn i dri pheth newid y byd canu gwlad – rheolwyr, traciau cefndir a dawnsio llinell. Byddai rheolwyr yn gofalu bod eu hartistiaid yn cael y dewis gorau o ddyddiadau ac yn llenwi'r rhan fwyaf ohonynt, ac felly'n ei gwneud hi'n anodd i bobl fel ni, oedd yn ffonio trefnwyr y clybiau'n uniongyrchol, oherwydd dywedent fod y dyddiad yr oeddem am ei gael wedi'i lenwi a doedd dim modd ei newid. Gwnaeth hyn hi'n anoddach i ni drefnu teithiau.

Yr ail beth i newid pethau oedd dyfodiad y traciau cefndir yn y nawdegau gydag artistiaid yn prynu disg mini i chwarae'r gerddoriaeth iddynt ganu gyda nhw. Gwnaeth hyn hi'n bosib i unrhyw artist nad oedd ganddo dalent o gwbl fedru manteisio ar yr artist gwreiddiol gan chwarae'r gerddoriaeth yn uchel fel nad oedd raid iddo fedru canu'n dda ychwaith! Pan ddechreusom ni yn yr wythdegau roedd pob un ohonom yn gorfod chwarae offeryn ein hunain er mwyn ennill parch y gynulleidfa, ond bellach nid oedd raid i neb orfod dysgu chwarae gitâr neu biano, dim ond bod yn feistr ar y carioci. Yr hyn oedd yn ein gwylltio fwyaf oedd fod rhai cynulleidfaoedd a threfnwyr yn derbyn hyn, ac wrth gwrs, golygai ei bod yn llai costus i'r clybiau a gwelwyd nifer o grwpiau'n crebachu i fod yn ddeuawdau.

Roedd dawnsio llinell wedi cydio yn y clybiau ar ôl i Billy Ray Cyrus recordio'r gân 'Achy Breaky Heart' ac roedd y dawnswyr am i'r artistiaid ganu pob cân fel y recordiwyd hwy gan yr artist gwreiddiol. Roedd pob cam wedi ei gynllunio a'i drefnu i'r record, a gwae chi os oedd eich datganiad o'r gân yn wahanol i'r gwreiddiol. Byddai'r dawnswyr yn gorchymyn yr artist i ganu'r caneuon y gallent ddawnsio iddynt. Nid oedd pob clwb fel hyn ac fe gawsom amryw i noson yn y clybiau dawnsio lle roeddent yn barod i ddawnsio i'n cerddoriaeth ni. Yn anffodus, erbyn heddiw mae nifer o glybiau gwrando wedi cau oherwydd y dawnsio llinell. Mae'n biti am hyn achos yn y mannau hynny y dysgom ni ein crefft o fod o flaen cynulleidfaoedd a'r rheiny'n dal ar bob gair o'n genau am dair set o dri chwarter awr yr un, bob nos.

Oedd, roedd bywyd yn wych am y pum mlynedd cyntaf, er nad oedd gennym lawer o arian sbâr ar ddiwedd y mis. Roeddem wrth ein bodd gyda'r bywyd ac fe enillom barch ein cynulleidfaoedd a'n cyd-artistiaid. Ond, yn anffodus, roedd amser caled a thrist yn ein haros yn y flwyddyn 1985.

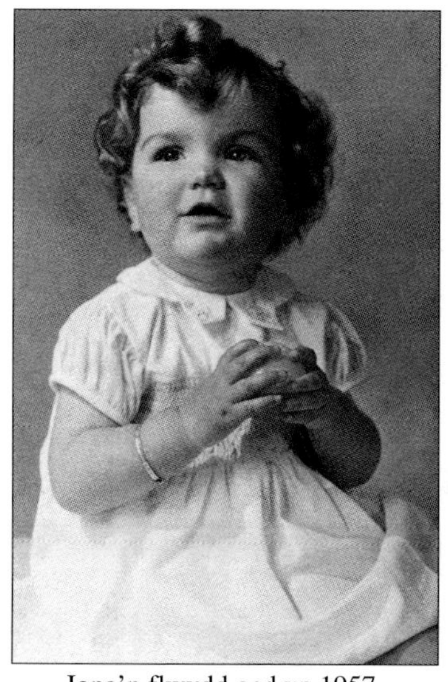

Iona'n flwydd oed yn 1957.

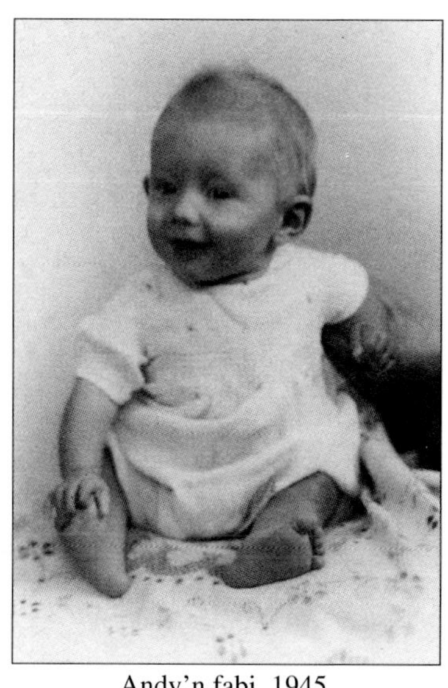

Andy'n fabi, 1945.

Andy gyda'i dad bedydd, Towyn Roberts – enw cyfarwydd i Eisteddfodwyr, gan mai ef roddodd yr arian i sefydlu Ysgoloriaeth Towyn Roberts.

Iona, ei thad a Sioned, y ddoli.

Deuawd y beics – roedd hi'n rhy gynnar ar gyfer tandem bryd hynny!

Iona'n ymweld â Llundain am y tro cyntaf.

Andy gyda'i fam o flaen y tŷ lle ganwyd ef ym Mhenmaen-mawr.

Carnifal Capelulo: Andy yw'r set deledu!

Yr enwog
Iona a Rhian!

Andy'n grwt.

## Brenhines o fyd y canu ysgafn

Dewiswyd Iona Roberts, Cynlas, Marl Crescent, Cyffordd Llandudno, yn Dywysoges Plaid Cymru yn etholaeth Conwy mewn dawns yng Ngherddi'r Gaeaf, Llandudno.

Mae Iona yn 19 ac yn fyfyriwr yn y Coleg Normal, Bangor. Mae yn adnabyddus ym myd y canu ysgafn yng Nghymru ar y teledu a'r radio. Daeth yn ail yn Eisteddfod Genedlaethol yr Urdd y llynedd am ganu cân ysgafn fodern.

Mae'n un o'r artistiaid sefydlog yng Ngwesty Plas Maenan, Llanrwst, o'r cychwyniad.

Ei ymddangosiad swyddogol cyntaf fydd mewn rali yng Nghonwy, Mai 17.

Cydnabyddiaeth gynnar.

Noson Lawen Plas Maenan, Dyffryn Conwy yn y 1970au – Edward Morris Jones, Gaenor ac Eleri, Iona a Robin James Jones.

GWESTY PLAS MAENAN

MAENAN LLANRWST

Enw Iona Roberts.

Wythnos yn gorffen 3/7 Wythnos rhif

MANYLION TAL:

3.7.76. 3.@50 1.50

+ Canu. 5.00

6.50

Nifer oriau

Tal yr awr

CYFLOG UCHAF

LLAI:

Yswiriant cenedlaethol

Pensiwn graddol

Treth incwm

Eraill

CYFANSWM LLAI

YCHWANEGIADAU:

Ad daliad treth incwm

Treuliau

Eraill

CYFLOG NET

Mae'n amlwg fod arian yn y busnes canu 'ma! Manylion tâl Iona ym Mhlas Maenan yn 1978 – £1.50 am dair awr o weini a £5 am ganu.

Miss Roberts gyda'i dosbarth yn ysgol Waunfawr ar ddiwedd y 1970au – mae rhai o aelodau grŵp pop y Big Leaves yn eu plith!

Grŵp cyntaf Andy, 'The Cossacks'. Andy yw'r ail o'r chwith.

Andy'n canu gyda'r 'League of Gentlemen' yn 1979.

Iona gyda'i dosbarth yn Ysgol Eglwysbach, Dyffryn Conwy, 1981

Iona gyda Ryan Davies  a Brendan Shine, y diddanwr o Iwerddon, mewn cyngerdd yn Llanidloes.

Cinio Nadolig teuluol. O'r chwith: Sioned, chwaer Iona, ei mam, ei thad, Andy a'i fam. Iona yw'r ffotograffydd.

Priodas Iona ac Andy yng nghapel Baladeulyn, Dyffryn Nantlle, Ebrill 5, 1980.

Y ddeuawd enwog yn dod i oed.

Canu yng ngŵyl tref Caernarfon.

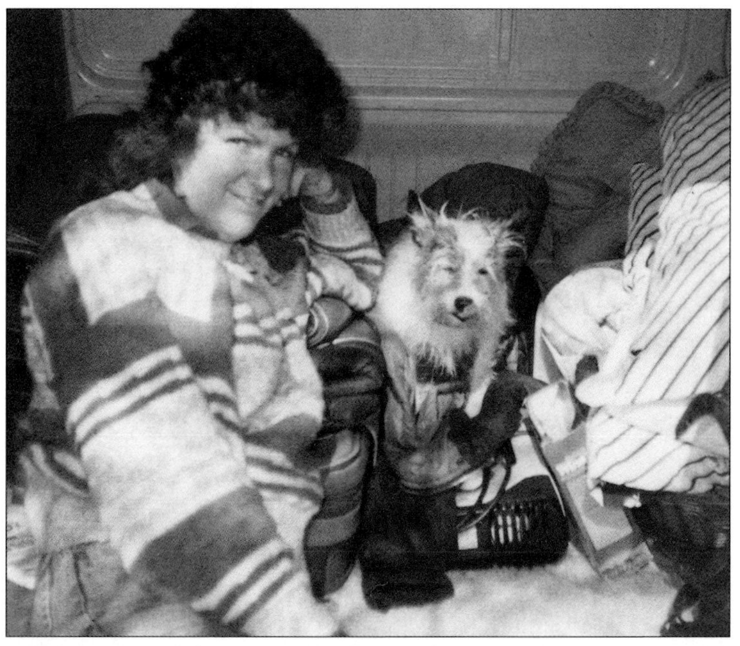

Ond dyw bywyd sêr canu ysgafn ddim yn *glamour* i gyd! Iona a Crisp y ci wedi noson yn cysgu yn y fan!

Y band cyntaf – Sarah Jory gyda George ar y drymiau.

Canu am y tro cyntaf yn Nashville, Tennessee – Bar Gabes.

Breuddwydio am gael canu yno rywbryd: y tu allan i'r *Grand Ole Opry*, Nashville.

Ar y llwyfan yng ngŵyl Avoca, Iowa, 1984.

Noson y storm. Canu gyda dau ddyn busnes ariannog – y 'rebal wîcends'!

Criw adloniant lletchwith yr *Holiday Club International* ym Majorca.

Diddanu'r twristiaid yn yr Hotel Pontinental, Torremolinos, gyda Geordie West, o Calgary, Canada.

Hwyl yn yr haul: ni ein dau gyda'r digrifwyr Glyn Owens, Geraint Jones a Dilwyn Pierce, ynghyd â John Sellers, yn Torremolinos.

'Ymlacio' ynghanol mis o waith 'caled' yn Albufeira, Portiwgal.

Trychineb: dychwelyd o Ffrainc i weld llanast ein stafell fyw wedi'r llifogydd.

Rhai o'r tlysau rydym wedi eu hennill dros y blynyddoedd am ganu – mae'r un fawr yn y canol am fod y ddeuawd fwyaf poblogaidd ym Mhrydain yn 1987.

# Yr Amser gwaethaf

Erbyn 1985 roedd ysgyfaint fy nhad yn gwanhau a chan mai dim ond un oedd ganddo roedd bywyd yn anodd iawn iddo ef ac i Mam. Byddwn yn ffonio adre'n aml a chael gwybod ganddi fod Dad yn ei wely'n sâl ac yn methu cael ei wynt. Bu ar beiriant ocsigen am wythnosau. Byddem hefyd yn poeni am fam Andy gan ei bod hithau'n mynd i oed ac yn ei saithdegau, yn byw ar ei phen ei hun. Dynes fach iawn oedd Lu, mam Andy, ac fe boenwn nad oedd yn bwyta digon. Felly, roedd hi'n anodd canu ar adegau fel hyn ymhell o gartref yn dychmygu Dad a Lu yn dioddef.

Erbyn mis Tachwedd 1985 aethpwyd â 'nhad i Ysbyty Gwynedd. Ni wnaf byth anghofio'r noson gan ein bod yn canu yn y Penrhos Arms, Gobowen, ac yn ysu am fynd adref. Fe wnaethom ganu rywsut y noson honno ac yna gyrru adref yn gyflym i gael gwybod ei fod yn yr adran gofal dwys yn Ysbyty Gwynedd, Bangor. Fore trannoeth, ar ôl ychydig iawn o gwsg, rhuthrom yno i'w weld ond erbyn hyn roedd wedi ei roi mewn ystafell fechan ar ei ben ei hun, gan ei fod yn dechrau gwella yn ôl y doctoriaid. Yno y bu fy nhad ac fe deithiom yn ôl a blaen i Fangor o Lan Conwy i ymweld â fo. Ond ar Dachwedd 13, 1985, dywedais ffarwél wrth fy nhad am y tro olaf yn yr ystafell fechan, unig, lom honno. Ei eiriau olaf i mi oedd fy mod i ofalu rhoi ei lwch ym Mhont y Gelynen yn Nantlle ac nid oedd am gael ei gladdu gan nad oedd e'n teimlo fod ei gorff gwan wedi rhoi bywyd rhy dda iddo. Byddai ei enaid felly'n rhydd yn y dyffryn a garai.

Pan gaeais y drws y noson honno, a fy mam yn beichio crio, roedd yna nyrs ifanc yn cerdded lawr y coridor. Pan ddywedais wrthi ein bod yn teimlo nad oedd fy nhad yn mynd i oroesi'r noson dywedodd wrthyf am beidio bod mor wirion ac nad oedd Dad yn wael iawn a bod yna lawer mwy o bobl yn waeth na fo yn yr ysbyty. Am ddau o'r gloch y bore canodd y ffôn ger ein gwely yng Nglan Conwy a dyna lais Sister o'r ysbyty yn dweud bod fy nhad, Myfyr Roberts, wedi darfod.

Mae'n anodd egluro'r teimlad a ddaeth drosof y noson honno, dim ond fy mod fel petawn wedi cael fy rhewi o'm corun i'm sawdl gyda rhywun wedi rhoi cyllell drwy fy stumog, ac roeddwn am gael gair gyda'r nyrs ifanc.

Roeddwn yn agos iawn at Dad. Arferai pawb ddweud, 'Hogan ei thad ydy Iona'. Diflannodd rhan o'm bywyd i y noson honno. Dim ond 64 oedd Dad ac roedd Mam rŵan yn wraig weddw yn 51 oed a minnau'n 29 oed. Y peth gwaethaf oedd fod pen-blwydd fy chwaer yn ddeunaw oed ar y 17eg, drannoeth cynhebrwng ein tad. Amser anodd iawn i ni gyd oedd hwn ac roedd gan Andy dasg aruthrol i'n cynnal. Gwasgarsom lwch Dad ym Mhont y Gelynen lle mae'r dŵr yn llifo'n ysgafn i lyn Nantlle a does yno ond sŵn adar bach yn canu, briallu yn tyfu a defaid yn pori. Mae hi'n nefoedd yng ngwir ystyr y gair yno. Dyma englyn a ysgrifennodd ef ei hun am y lle:

*Ger Pont y Gelynen*

Dôl a llyn a dail llwyni – a braf fro
Bronfraith a'i thelori,
Dyna pam fod llam y lli
Yn felys yn ei foli.

Roedd yn anodd iawn i mi ganu am gyfnod ar ôl hynny. Nid oeddwn am fynd ar lwyfan na chanu'r un gân. Ond gan ein bod yn dibynnu ar y canu i ennill bywoliaeth bu raid i mi godi plwc ac fe gefais nerth o rywle i fynd allan unwaith eto. Cymerodd amser hir i mi fedru canu heb grio ar ganol cân yn enwedig rhai emynau yr hoffai ein cynulleidfaoedd fel 'Mor Fawr Wyt Ti' a 'Pererin Wyf'. Nid yw'n anarferol, hyd yn oed heddiw, i mi golli deigryn ar lwyfan ar ddiwedd rhai caneuon wrth feddwl am fy nhad.

Roedd hefyd yn anodd pan oeddem ar y ffordd, yn meddwl am ein dwy fam a fy chwaer ar eu pennau eu hunain a ninnau ymhell o gartref. Nid oedd ffôn symudol bryd hynny ac roedd yn anodd dod o hyd i giosgs ar draws y wlad oedd yn gweithio!

Bu raid i ni adael y wlad am fis yn haf 1986 i fynd i ganu i

Bortiwgal ac er ein bod yn edrych ymlaen at hyn nid oeddem am adael ein teulu am gyhyd ar ôl ein profedigaeth. Fe adawsom Crisp y Jac Russell gyda mam Andy ac i ffwrdd â ni. Cawsom fis anhygoel mewn lle o'r enw Albufeira ar yr Algarve yn canu mewn tŷ bwyta. Roedd hyn yn waith blinedig iawn gan y byddem yn canu am dair set o dri chwarter awr yr un bob nos, ac amser cinio ar y Sul. Ni chawsom un noson rydd ond roedd y perchennog yn ddyn hael iawn gan iddo dalu am ein taith drosodd ar yr awyren, rhoi fflat i ni aros ynddi, ein holl fwyd a'n diod am y mis a'n talu am ganu. Yn ystod y dydd byddem yn gallu nofio a thorheulo ar un o draethau hyfryd yr Algarve neu gerdded yr ardal, heb sôn am siopa. Dydw i ddim yn credu i ni fod mor ffit erioed gan y byddem yn cerdded bob nos o'n fflat i fwyty'r Toby Jug ac yn ôl ar ddiwedd y noson – siwrnai o dair i bedair milltir. Bob dydd byddem yn mynd heibio siop fach fendigedig oedd yn gwerthu crochenwaith lleol ac yn y ffenest gwelais set goffi anarferol; fe addewais i mi fy hun y byddwn yn ei phrynu ar ddiwrnod olaf y mis cyn i ni fynd adref. Heddiw mae yma yn ein tŷ ni yn Chwilog yn cael ei harddangos i bawb ac yn fy atgoffa am y mis hir a phoeth hwnnw.

Tra oeddem yno daeth criw o Brydain i'n gweld ac yn eu plith roedd fy mam, Ken a Pat May o'r Amwythig a oedd yn rhedeg clwb i'n cefnogwyr, a hefyd Paula a Selwyn a'u mab Adam o Eglwysbach. Paula oedd yn trin ein gwallt yr adeg honno ac roeddem yn falch iawn o'i gweld er mwyn cael torri ein gwalltiau! Cawsom fis bendigedig yn Albufeira ac rydym wedi bod yn ôl yno ddwywaith ar ein gwyliau. Nid yw'r lle wedi newid llawer ers yr wythdegau, gyda'r hen adeiladau gwyngalchog, y strydoedd cul yn troelli tuag at borthladd pysgota bychan a glan y môr hyfryd. Roeddem mor frown ein croen yn dod adref fel y cawsom ein holi gan swyddog diogelwch ym maes awyr Birmingham am oriau. Ni wn beth oedd o'n feddwl yr oeddem ni wedi bod yn ei wneud ond o! am gwestiynau, a ninnau wedi bod ar ein traed drwy'r nos yn y maes awyr ym Mhortiwgal – wel, yn eistedd a dweud y gwir ar gadeiriau plastig oren – wrth aros i gofrestru i fynd ar yr awyren am bedwar y bore! Croeso adref wir!

Roeddem yn dal i deithio i'r Alban, gan ganu mewn llawer man. Unwaith ymunodd gŵr o'r enw Phillip Anderson â ni i chwarae gitâr drydan. Cerddor o Ynys yr Orkney oedd Phillip a byddai'n teithio am ychydig fisoedd gyda'r grŵp Middle of the Road a gafodd lwyddiant gyda'r gân fythgofiadwy honno 'Chirpy Chirpy, Cheep Cheep'. Roeddem felly yn lwcus iawn o'i gael i chwarae yn ein band ni. Roedd ganddo hefyd stiwdio recordio yn y lle gyda'r enw anhygoel yna – Ochdermychdi yn Fife. Bu inni recordio dau gasét yno, un o'r enw *Timeless and True Love* sy'n dal i werthu heddiw ac un arall Cymraeg, *Caneuon o'r Galon.* Phillip oedd yn chwarae bron pob offeryn ar y rhain – gyda ninnau'n chwarae gitâr acwstig a bas.

Yn anffodus, erbyn hyn roedd Crisp yr ast yn heneiddio; roedd wedi cyrraedd un mlwydd ar bymtheg ac wedi teithio i bobman gyda ni ers y dechrau. Wrth recordio *Timeless and True Love* dirywiodd ein ci bach annwyl, ac ar ôl ei chludo adref ar hyd y traffyrdd prysur bu raid i ni fynd â hi at y milfeddyg a rhoddodd bigiad i'w rhoi i gysgu. Roedd hyn yn rhywbeth anodd iawn i'w wneud, yn enwedig i Andy, gan ei bod wedi bod gydag ef erioed. Fe gladdsom hi yn ein gardd yng Nglan Conwy. Nid ydym wedi cael ci arall ers hynny.

Roedd y blynyddoedd ar ôl i 'nhad farw yn rhai anodd iawn i mi a dechreuodd ddweud ar fy iechyd. Byddwn yn teimlo'n ofnadwy ac mewn poen ar lwyfannau droeon, rhywbeth yr ydym ni ferched yn gorfod ei ddioddef yn anffodus ond roedd yn waeth na hynny. Mae'n rhaid ei fod yn ddifrifol iawn, yn ôl Andy, gan i mi un tro mewn siop yn Norwich erfyn ar Andy i fynd â mi adref – tasg anodd gan fod adref yn 350 o filltiroedd i ffwrdd! Ac i'r rheiny ohonoch sydd yn fy adnabod yn dda roedd hyn wir yn ddifrifol iawn – gadael siop o'm gwirfodd! Dro arall wrth ganu yng Nghernyw bu raid i mi adael Andy gyda Sarah Jory ar lwyfan i orffen y perfformiad gan fy mod yn fy nyblau mewn poen. Roedd yn amlwg fod rhywbeth mawr o'i le ac felly bu raid i mi fynd i'r ysbyty yn Llandudno fwy nag unwaith dros y pum mlynedd nesaf i dderbyn llawdriniaethau. Cefais dair llawdriniaeth o fewn tair blynedd gyda'r drydedd yn hysterectomi, gan mai clwy o'r enw Endometriosis oedd gennyf.

Mae'n biti na fuaswn wedi cael y llawdriniaeth hon ar y dechrau un gan y gallwn fod wedi cario ymlaen â'r canu'n llawer rhwyddach a dim wedi gorfod canslo cymaint o waith.

Bu'r pum mlynedd hyn o 1985 hyd 1990 yn amser caled iawn arnom yn gorfforol, yn feddyliol ac yn ariannol – pan nad ydym yn gweithio does dim arian yn dod i'r tŷ. Mae'n anhygoel fel y bydd rhai trefnwyr yn ymateb. Ar y cyfan mae gan rai gydymdeimlad â chi ond bryd hynny nid oedd rhai hyrwyddwyr a threfnwyr yn credu Andy ar y ffôn pan eglurai fy mod wedi derbyn llawdriniaeth fawr. Y cyfan a ddywedai rhai oedd ein bod wedi eu gadael i lawr a chyhoeddai eraill wrth eu cynulleidfaoedd nad oeddem wedi cadw ein cyhoeddiad!

Ar ôl fy amser mewn ysbyty yn Llandudno a chael cyfnod ymadfer am dri mis, nid oeddwn am deithio ymhell yn rhy fuan ar ôl y llawdriniaeth. Penderfynais roi fy enw fel athrawes lanw yn Nyffryn Conwy. Roedd hi'n od iawn mynd yn ôl i ddysgu ar ôl yr holl amser i ffwrdd ond mae fel reidio beic – nid ydych byth yn anghofio sut mae dysgu plant. Mwynheais y cyfnod byr yr es o amgylch yr ychydig ysgolion yn y dyffryn, a'r un a dreuliais fwyaf o amser ynddi oedd ysgol Bodlondeb, Conwy, ysgol i blant o dan wyth oed. Cefais amser gwych yno gyda'r brifathrawes Mrs Annette Evans a'i thîm.

Mwynheais ysgrifennu cân actol ar gyfer yr Urdd i'r plant, ac o feddwl pa mor ifanc oeddynt ac o ystyried hefyd mai ail iaith oedd y Gymraeg i'r rhan fwyaf ohonynt, fe roesant berfformiad gwych. Ar gyfer cyngerdd y Nadolig fe gansom gân a ysgrifennodd Charlie Landsborough i ni, 'Now We Have Everything'. Tynnwyd lluniau i'w danfon at Charlie ac fe ysgrifennodd yn ôl i ddiolch gan ddweud ei fod wedi ei blesio'n arw â'r gwaith gan mai athro oedd ei swydd ef cyn iddo ddod yn enwog. Cyfnod da arall yn fy mywyd oedd yr amser a dreuliais yn llenwi bwlch yn Ysgol Bodlondeb.

Ar wahân i'r flwyddyn hon o fod yn athrawes lanw bob yn hyn a hyn, roedd yn rhaid dibynnu ar y wlad, ond gan na fyddai hynny'n ddigon byddai ein mamau'n rhoi cymorth inni o bryd i'w gilydd, diolch byth. Cafodd Andy ychydig o sioeau ar ei ben ei hun yn canu'n lleol hefyd. Teithiodd un penwythnos i ganu yn

Humberside gyda Darren Busby yn cymryd fy lle – Boggie a Busby oedd enw'r ddeuawd y penwythnos hwnnw. Mae Darren yn ganwr bendigedig ac yn un o unawdau prysuraf Prydain gyda llwyth o wobrau canu gwlad i'w enw. Ond dim ond megis dechrau ar ei yrfa yr oedd yr adeg honno. Roeddem yn ei annog i ganu'n broffesiynol a gadael ei swydd fel weldiwr gan fod ganddo'r dalent i wneud hynny, a dyna a wnaeth ymhen amser.

Y penwythnos hwnnw, arhosodd Andy yng nghartref tad a mam-yng-nghyfraith Darren, oedd ddau ddrws i lawr o dŷ Darren, a ffwrdd â nhw i ganu tair noson yn yr ardal. Un noson yn Immingham fe wisgodd Darren fy sgert a'm blows i a rhoi wig ar ei ben. Cafodd y gynulleidfa sioc fawr y noson honno. Rhoddodd Andy recordiad ohonof i yn canu 'Pererin Wyf' ymlaen heb ddweud wrtho mai yn Gymraeg oedd y gân. Dyna lle roedd Darren druan yn trio meimio yn Gymraeg i fy llais i. Mae yna gryn nifer o luniau o'r noson hon yn mynd o gwmpas y wlad. Mae'n dda gennym ddweud iddo fynd yn ei flaen i ennill y teitl 'Canwr Gwlad Gorau Prydain' ymhen amser a digwyddodd yr un peth i Sarah Jory. Mae'n rhaid bod gweithio gydag Iona ac Andy yn gwneud lles i yrfaoedd pobl!

Ffoniodd Andy ar ei ffordd adref ar y p'nawn Sul o'r gwasanaethau ar yr M62 a phan glywodd fy mod wedi paratoi cinio dydd Sul o gig oen a bod potel o win coch o Ffrainc yn ei aros, fe ehedodd adref. Heblaw am yr adegau pan oeddwn yn yr ysbyty dyna'r unig adeg inni fod ar wahân, ac yn rhyfeddol nid ydym wedi treulio'r un noson ar wahân ers hynny.

Bu'r pum mlynedd hyn yn rhai pryderus a llawn dioddefaint i mi ac, er gwaetha'r cof sydd gen i o ganu gwlad Cymraeg yn cael mwyfwy o sylw ar y teledu ac ar Radio Cymru, roeddwn yn rhy wael i drio tynnu sylw'r cyfryngau atom ni yr adeg honno. Felly, yr unig beth oedd i'w wneud oedd gwella er mwyn bwrw ati i ganu unwaith eto.

# BYWYD IACH

Comisiynodd gŵr busnes o Lerpwl, John Fairclough, albwm yn 1987 o ganu gwlad a'i alw'n *UK New Country* gan ofyn i Joe Butler – cyflwynydd ar Radio City Lerpwl ac aelod o grŵp enwog yr Hillsiders – i'w gynhyrchu. Roedd yr albwm yn gasgliad o gantorion o Brydain a chan fod Joe wedi'n gweld yn y cyngerdd yn Crewe yn 1982 fe ofynnodd i ni ganu tair cân arno. Ar yr un albwm roedd Ben Rees, oedd wedi ymddangos ar y rhaglen deledu *New Faces* ac roedd y grwpiau eraill yn cynnwys Stroller, White Line Fever a Harvey – grwpiau o Orllewin Lloegr i gyd. Ni oedd yr unig ddeuawd a'r unig rai o Gymru, ac yn sicr fi oedd yr unig ferch!

Gwerthodd yr albwm *UK New Country* yn dda ac fe ofynnodd y cwmni Barge Records inni recordio LP gyfan (sef *Across the Mountain*) gyda Joe Butler unwaith eto'n cynhyrchu. Treulsiom bythefnos yn Oldham yn recordio deuddeg cân, y rhan fwyaf ohonynt yn rhai gwreiddiol, wedi eu cyfansoddi gan gyfansoddwyr o Brydain. Roedd hi'n oer aruthrol am y pythefnos yno, a rhai diwrnodau roedd hi bron yn amhosibl cyrraedd y stiwdio oherwydd eira mawr. Cawsom amser da yn recordio yn y stiwdio fawr grand yno gyda cherddorion gwych: Dave Rowlands ar y gitâr ddur – mae ef yn dal i chwarae gyda ni heddiw – Gary Thistlewhaite ar gitâr ddur arall, Iain Bradshawe ar y piano – mae yntau hefyd yn chwarae i ni heddiw – Dereck Baine ar y drymiau, Andy ar y bas a Bobbie Arnold ar y gitâr drydan ac acwstig. Yn anffodus, yn y flwyddyn 2003 bu farw Bobbie druan o gancr, colled fawr i'r byd canu gwlad ac i'w grŵp Kenny Johnson a North Wind o Lerpwl ac i ninnau hefyd yn bersonol.

Bu inni dreulio oriau hir yn y stiwdio ac weithiau ni fyddai Andy'n cytuno â'r ffordd y byddai Joe Butler yn cynhyrchu rhai o'r caneuon, a byddai'n colli'i limpin ac yn stompio allan o'r stiwdio! Ond Joe oedd yn iawn a dyna lle y dysgsom am y tro cyntaf sut deimlad oedd cael ein cynhyrchu. Dysgodd Andy gau ei geg o hynny 'mlaen pan oeddem mewn stiwdio a gadael i'r cynhyrchydd wneud ei waith. Rhywbeth digon anodd i'w wneud ar brydiau oedd hyn cofiwch, pan deimlech y dylai cân gael ei dehongli'n hollol wahanol i sut y credai'r cynhyrchydd; fodd bynnag, rhaid oedd gwrando arno fo yn y pen draw.

Roedd yna ganeuon gwreiddiol gwych ar yr albwm *Across The Mountain*. Ar y clawr, roedd llun wedi ei dynnu'n arbennig gan dynnwr lluniau penigamp o Lerpwl o'r enw Wing Wong – ia, dyna oedd enw iawn y Tsieinead hwn! Yn ogystal â chaneuon gwreiddiol roedd yna rai copïau o America ac un o'r rhain oedd cân o'r enw 'Going Gone' y clywais Nancy Griffiths a Kathy Mathea yn ei chanu. Rhoddodd Joe drefniant newydd i'r gân a phenderfynwyd gwneud sengl allan ohoni. Chwaraewyd hi ar nifer o raglenni radio ym Mhrydain a dywedodd David Allan – oedd yn cyflwyno *Country Club* ar Radio 2 – fod y sengl yn rhif un yn Ynys y Nadolig yn y Pasiffig! Ni wyddom hyd heddiw faint o bobl sydd yn byw ar yr ynys ond yn sicr ni wnaeth y gwerthiant ni'n filiwnêrs.

O'r holl albwm, y gân oedd yn cyffwrdd pobl yn sicr oedd 'Part of your World' a gyfansoddwyd yn arbennig i mi gan Raymond Froggatt. Gŵr dawnus iawn oedd Ray a gallai fesmereiddio'i gynulleidfa gyda'i berfformiadau anhygoel, gan ganu ei ganeuon ei hun bob amser. Byddaf bob amser yn ei ddisgrifio i rai sydd heb ei weld fel cymysgedd o Meic Stevens a Dafydd Iwan. Roedd wedi ysgrifennu caneuon i Cliff Richard ac i'r grŵp Dave Clark Five o'r chwedegau a gafodd rif un yn y siartiau gydag un o'i ganeuon, sef 'Red Balloon'. Roedd Raymond yn ffrindiau mawr gyda Jeff Lynne, Roy Wood ac Ozzy Osbourne – a'r olaf yn ŵr a hoffai rannu yr un gwendid ag ef, sef y ddiod feddwol. Da gennym ddweud nad yw Raymond Froggatt yn cyffwrdd alcohol y dyddiau hyn dan orchymyn y meddyg.

Buom ar deithiau gydag ef gan ymddangos yn yr enwog Neuadd Tref Birmingham, lle hardd a gwych i ganu ynddo, yn ogystal â nifer helaeth o theatrau eraill ledled Prydain. Roedd y rhain yn sioeau wrth ein bodd ni gan y canem am dri chwarter awr yn y rhan gyntaf, i theatrau llawn, ac yna gwerthu ein tapiau yn y cyntedd – wedi dysgu erbyn hyn ar ôl bod gyda Tony Best.

Roedd Raymond Froggatt, neu 'Froggie' fel y'i gelwid, yn dipyn o seren o amgylch Birmingham ac arferai gynnal sioe Nadolig yno gyda nifer fawr o'i ffrindiau yn y gynulleidfa. Nosweithiau gwyllt oedd y rhain. Nid oeddwn erioed wedi gweld y fath bobl – pobl arw Birmingham oedd y rhain. Cofiaf yn un rhan o'r sioe fe ddaeth perfformwragedd i'r llwyfan a meimio i gân y Supremes a dyna sioc a gawsom pan sylweddolom mai tri dyn oeddynt! Un o'r rhain oedd yr enwog Pat Roach, reslwr a ddaeth yn enwog yn ddiweddarach yn y gyfres deledu *Auf Wiedersehen Pet*. Roedd yn wefr cael band Froggie yn chwarae gyda ni y noson honno.

Yn ystod un o'r sioeau gyda Froggie, digwyddais sôn wrtho am farwolaeth fy nhad gan ddweud wrtho, 'Ray, I have lost part of my world now.' Dyna sioc a gawsom pan gyrhaeddodd tâp drwy'r post gyda'r gân 'Part of your World' a hynny wythnos cyn mynd i'r stiwdio i recordio. Mae wedi bod yn gân arbennig iawn i ni ar hyd y blynyddoedd ac roedd yn wych cael ei chanu mewn sioeau gyda Froggie; byddai bob amser yn gofyn i ni ymuno ag ef i'w chanu gan ddweud yr hanes am sut y daeth ef i'w chyfansoddi. Addasodd Dafydd Iwan y gân i'r Gymraeg yn ddiweddarach ac fe'i recordiwyd ar ein cryno-ddisg *Gwin yr Hwyrnos*.

Roedd hi'n braf cael bod yn ôl yn teithio a chanu ar hyd a lled Prydain ar ôl fy salwch. Byddem yn teithio 35 mil o filltiroedd y flwyddyn gan ymweld â phob cornel o Brydain. Un o'r llefydd y treuliom gryn dipyn o amser ynddo oedd gogledd-ddwyrain Lloegr yn sir Durham – ardal gyda'i chymeriadau a'i hiwmor ei hun. Arhosem gyda Frank a Valerie Watson yn y dref farchnad, Barnard Castle. Tref fach ddiddorol iawn yw Barnard Castle gyda murddun castell a siopau bach diddorol a gwahanol a byddwn i a Val yn cael sbri iawn yno gyda'n gilydd.

Yn anffodus, un o'r llefydd mwyaf garw a gansom ynddo oedd Bishop Aukland ger Durham. Erbyn hanner amser bu raid i'r heddlu ddod i symud rhai hogiau oedd yn cwffio yn y clwb ac yna wedi i ni ddechrau'r ail hanner dechreuodd y merched gwffio a bu raid galw'r heddlu yn ôl! Ar ddiwedd y noson fe ofynnodd y perchennog, 'You will come back, won't you?' Does dim rhaid i mi ddweud wrthych beth oedd yr ateb!

Caem hwyl fawr yng nghwmni Frank a Val yn mynd o glwb i glwb. Byddent bob amser yn dod gyda ni yn ein fan, tri ohonom yn y ffrynt ac un yn eistedd ar gadair haul yng nghanol y fan gyda Crisp yn gwmni. Wrth deithio byddwn yn cario fy ngholur mewn cês coluro. Un noson yn un o'r clybiau gofynnwyd i mi, 'Is that where you keep your ferret, pet?' Ers hynny mae'r bocs wedi ei fedyddio 'y bocs fferet'. Fe glywch Andy yn gofyn a yw fy mocs fferet gennyf yn aml. Felly fe wyddoch rŵan mai colur sydd ynddo ac nid fferet.

Roedd Val yn ddynes frwdfrydig iawn ac yn gwneud y gorau o bopeth; byddai hyd yn oed yn ein helpu ar ddiwedd y noson i gadw'r gêr yn daclus iawn cyn yr awn yn ôl i aros y nos yn eu cartref. Yna ar ddydd Sul byddai'n paratoi cinio arbennig gyda'r pwdin sir Efrog mwyaf a welsom erioed. Mae'n draddodiad i bobl sir Efrog, o ble deuai Val yn wreiddiol, fwyta'r pwdinau hyn cyn y prif gwrs gyda grefi a mwstard – mae fy ngheg yn dechrau glafoerio wrth feddwl amdanynt! Bu trasiedi fawr yn 2003 pan fu Val farw o gancr y fron yn 53 oed, colled aruthrol i ni i gyd ac yn sicr i'w gŵr Frank.

Rhan 2

# Wedi 1985

# Yr Wyth degau i'r Naw degau

Wrth i'r wythdegau droi i'r nawdegau, buom yn pendroni tybed a oedd ein gyrfa bellach wedi cyrraedd ei uchafbwynt ac mai edrych yn ôl yn hiraethus fyddem ni, ynteu tybed a oedd yna anturiaethau a phrofiadau newydd yn ein disgwyl? Nid ydym byth yn aros yn ein hunfan a byddwn bob amser yn cynllunio a thrafod y dyfodol gan fod yn rhaid i ni geisio aros ar y brig ac, yn bwysicach, ennill bywoliaeth. Mae yna ryw brosiect newydd wastad i'n denu a'n tywys ymlaen, sydd yn ein rhyfeddu'n wir.

Roedd yna raglen boblogaidd canu gwlad ar BBC Radio 2 o'r enw *Country Club* ac fe'i darlledid bob nos Iau, ac yn cael ei chyflwyno gan yr enwog Wally Whyton, ac yna, ar ôl iddo farw'n sydyn fe gyflwynid y rhaglen gan David Allan. Dim ond canu gwlad o America a glywid ar y rhaglen hon hyd nes i'r BBC benderfynu rhoi sesiynau byw i gerddoriaeth gwlad o Brydain gan ei fod wedi dod yn llawer mwy amlwg ac yn cael mwy o sylw erbyn yr wythdegau.

Roeddem ni'n lwcus iawn o gael dwy sesiwn ganddynt. Darlledwyd y gyntaf o Theatr Hafren yn y Drenewydd yn cynnwys artistiaid o Gymru a Frank Hennessy'n cyflwyno. Ar yr un rhaglen â ni roedd yr enwog Mikki a Griff, nhw oedd deuawd mwyaf llwyddiannus Prydain yn y pum a'r chwedegau ac wedi cael llwyddiannau mawr yn y siartiau. O ogledd Cymru y deuai Griff ac o'r Alban y deuai Mikki. Nid oeddem wedi dod ar draws artistiaid fel y ddau yma o'r blaen gan eu bod yn sêr yn y chwedegau ac roeddent yn dal am gael eu trin fel sêr. Roeddynt yn sêr y byd adloniant o'r iawn ryw ac yn hollol o ddifri yn eu hagwedd mai sêr oeddynt, ac roedd hyn yn newydd i ni oedd wedi arfer ag agwedd agos-atoch y canu gwlad Prydeinig. Y noson honno rhoddodd Griff restr i ni o'r caneuon yr oeddent am eu canu gan ddweud wrthym am beidio â chanu'r un o'u caneuon nhw. Cawsom agoriad llygad pan welsom de mewn tebot gyda chwpan a soser porslen ar hambwrdd yn eu hystafell wisgo! Ond yr hyn a gofiaf fwyaf oedd pan ddaeth Griff allan o'u hystafell wisgo – yr orau wrth gwrs – yn ei *dressing gown* a'i sanau yn cael eu dal i fyny â sysbendars! Ond wrth gwrs fe roesant sioe benigamp a dderbyniwyd yn wych gan y gynulleidfa yn y theatr ac ar y radio. Bu'r ddau'n canu gyda'i gilydd am ddeugain mlynedd ac ar ôl i Miki farw ni chanodd Griff wedyn. Dywed Andy y byddai ef yn teimlo fel y gwnâi Griff pe byddwn i'n mynd i'r nefoedd o'i flaen – a Duw a'i helpo i ddod o hyd i ddillad glân! Tybia Andy fod tylwyth teg yn rhoi ei sanau mewn drôr ger ei wely gan fod yna rai glân yno bob dydd.

Yr ail sesiwn a wnaethom ar gyfer *Country Club* Radio 2 oedd yn Strawberry Studios, Stockport, un o stiwdios gorau Prydain. Y cynhyrchydd y tro hwn oedd Nick Barraclough sydd erbyn hyn yn cyflwyno rhaglen wythnosol dda iawn y *New Country* ar Radio 2 bob nos Iau. Fe wnaethom fwynhau'r sesiwn hon, gydag Iain Bradshawe ar yr allweddellau a Dave Rowlands ar y gitâr ddur ac roedd gan Nick deimlad tuag at y gerddoriaeth yr oeddem yn ei recordio.

Wedi hyn cawsom wahoddiad i fynd i Birmingham i stiwdio Pebble Mill lle roedd yna lawer iawn o raglenni teledu a radio yn cael eu recordio. Dwi'n cofio eistedd yn y ffreutur yn sylwi ar y sêr yn bwyta o'n cwmpas ym mhobman. Yno i recordio ar gyfer rhaglen o'r enw *Night Ride* yr oeddem ni – rhaglen a fyddai'n cael ei darlledu yn hwyr y nos ac a anelid yn arbennig at y gyrwyr lorïau. Buom yno drwy'r dydd yn recordio hanner dwsin o ganeuon ac yn eu mysg roedd cân o'r enw 'Please Don't Bury Me'. Un o linellau'r gân oedd 'Kiss my Ass Goodbye' a gofynnodd Andy a oedd hi'n iawn iddo ganu'r llinell hon. Dywedodd y cynhyrchydd am iddo redeg dros y gair *ass* yn gyflym ac felly y buodd hi. Yn rhyfedd iawn roeddem yn teithio adref yn ystod y nos ac yn gwrando ar y rhaglen *Night Ride* pan glywsom lais meddal Seisnigaidd iawn y cyflwynydd yn dweud, 'That was Frank Sinatra with "My Way", now here is Iona and Andy with "Please Don't Bury Me".' Fedren ni ddim credu fod Radio 2 y cyfnod hwnnw wedi gadael i'r gair *ass* gael ei ganu ar eu rhaglen! Roeddem mewn hwyliau da ar hyd y ffordd adref gan chwerthin 'wel, dyna yw bod yn enwog yntê!'

Y cyngherddau mwyaf anarferol y buom yn rhan ohonynt oedd y rhai a gynhelid mewn eglwysi a chapeli yn Lloegr. Nid gwasanaethau oedd y rhain ond noson neu b'nawn o ganu gwlad neu unrhyw fath o ganu a dweud y gwir. Teithiem droeon i Swydd Lincoln a Norfolk i ganu mewn rhyw eglwys neu'i gilydd. Un eglwys ganoloesol fendigedig y canem yn aml ynddi oedd yr un yn Littleport ger Ely, Caergrawnt, a hynny i gynulleidfa wych oedd yn dal ar bob gair o'n heiddo; byddai llwyfan wedi ei gosod ger y pulpud ac yna ar y diwedd, byddai paned a bwyd wedi eu paratoi gan bobl leol yn cael ei osod yn barchus ar y bwrdd. Roedd elw'r noson yn mynd at adnewyddu'r eglwys hynafol hon. Fel arfer byddem yn aros y nos yn y ficerdy gan dreulio oriau yn sgwrsio; roedd gwraig y ficer yn Grypiad Groegaidd ac yn llawn straeon ofnadwy am y ffordd yr oedd ei theulu wedi cael eu trin yn y rhyfel yn erbyn y Twrciaid. Pobl glên iawn oedd y rhain ac er bod Littleport gannoedd o filltiroedd o gartref, i ni roedd yn werth mynd yno i gael y profiad o ganu yn y fath le a chyfarfod pobl ddiddorol.

Lle arall y canem ynddo oedd yng nghapel y Bedyddwyr yn Hucknell, Nottingham. Yno ar nos Sadwrn byddai'r lle'n orlawn a byddwn yn fy elfen yn canu yn y sêt fawr yno. Byddai awyrgylch y noson yn anhygoel ac yn mynd â fi'n ôl at ddyddiau fy mhlentyndod yn Nantlle pan oeddwn yn canu gyda fy nhad. Roedd yn beth dieithr iawn i Andy ganu yn y capeli hyn gan mai cefndir roc-a-rôl oedd ganddo ef ond buan iawn y daeth i ymlacio ac i fwynhau fel finnau yn y capel hwn. Doedd dim byd yn ormod o drafferth i Geoff a Valerie Gospel a drefnai'r noson ar y cyd â Carol, merch addfwyn iawn a fyddai bob amser yn cyflwyno blodau a phob math o anrhegion hael i ni. Roedd eu croeso'n fythgofiadwy bob amser ac fe gynigai baned o de i ni pan gyrhaeddem ar ôl taith hir o gartref, rhywbeth na ddigwyddai ym mhobman. Byddai dŵr a *mint imperials* mewn dysgl arian ar fwrdd gyda lliain gwyn glân yn ein hystafell newid a cherdyn yn ein croesawu bob amser. Biti na fuasai mwy o gapeli yn cynnal y math hwn o achlysur; dywedai Geoff fod ein cerddoriaeth ni yn addas i'r gynulleidfa yn Hucknell gan ein bod yn gallu addasu ein rhaglen i siwtio'n cynulleidfa. Dyma rywbeth nad yw nifer fawr o bobl yng Nghymru wedi sylweddoli, yn enwedig pobl y cyfryngau.

Roedd yr ŵyl canu gwlad yn dal i gael ei chynnal bob Pasg yn Wembley ac aethom i lawr yno deirgwaith i ganu ar y *Best of British* neu i wrando ar y cyngherddau ac i gwrdd â ffrindiau, a byddai Andy'n ysgrifennu adroddiad ar gyfer y papur gwlad. Yn anffodus roedd yna si ar led fod y trefnydd Mervyn Conn wedi mynd i drafferthion ariannol ac 1991 oedd yr ŵyl olaf o ganu gwlad i'w chynnal yn Wembley. Ond cyn i hyn ddigwydd cawsom ganiad ffôn gan wraig o'r enw Jessie Kent, dynes a ddaeth i roi cymorth i Mervyn Conn ym mlwyddyn olaf yr ŵyl, yn ein gwahodd ni'n dau i ganu ar brif lwyfan yr ŵyl. Dychmygwch ein cynnwrf pan glywsom hyn! Ni, Iona ac Andy o ogledd Cymru, i rannu llwyfan â Tammy Wynette, Johnny Cash, Crystal Gayle a Slim Whitman! Fedrwn i ddim cysgu am wythnosau ar ôl y gwahoddiad, a phan ddaeth y diwrnod mawr ei hun roeddem yn llawn cyffro. Roedd gennym fand gyda ni, Dave Anderson ar y gitâr a'r gitâr ddur a Tony Peck ar y drymiau. Cawsom ein cyflwyno gan John McEuen o'r grŵp Nitty Gritty Dirt Band a dyna lle roeddem ni yn wynebu'r miloedd yn yr arena fwyaf y bûm i'n canu ynddi erioed. Teimlad emosiynol tu hwnt oedd canu yno; nid oeddem am i'r set orffen ond mae'r hen ystrydeb bod amser yn hedfan pan ydych yn mwynhau eich hun mor wir. Pan orffennom ni ein set gyda 'Mor Fawr Wyt Ti' cododd un gyfran o'r gynulleidfa ar ei thraed a phwy oedd yno ond neb llai na llond bws o ogledd Cymru wedi dod i lawr yno i'n gweld ni. Derbyniais ddwsin o rosod melyn gan Brenda o Lanberis a oedd newydd golli ei gŵr Ifan ac yntau wedi canu yn Wembley y flwyddyn cynt gyda'r grŵp Tumbledown Wind, a'i gân enwog ef oedd cân gan Marty Robbins, sef 'Dozen Yellow Roses'. Yn ein dilyn ni ar y sioe oedd fy ffrind Philomena Begley o Iwerddon a oedd bob amser yn cael hwyl gyda'i chynulleidfa. Cymeriad a hanner yw Phil ac mae bob amser yn dda ei gweld ond gwae chi os cewch eich dal wrth unrhyw far gyda hi. Mae'r Gwyddelod yn gallu yfed cymaint â'r Albanwyr!

Profiad anhygoel oedd gweld y sêr y tu ôl i'r llwyfan yn paratoi ar gyfer eu perfformiadau, ond yr un a gofiaf oedd

Tammy Wynette yn cyrraedd yn ei limwsîn yn syth o'i gwesty. Roedd hi mor gain ac mor fain ei chorff ac yn gwisgo ffrog hardd wen yn sgleinio i gyd. Roedd ganddi hefyd warchodwyr personol yn ei thywys at y llwyfan – byd arall oedd hwn yn wir. Gyda balchder y gadawsom ni arena Wembley y noson honno ar Fawrth 31, 1991, ond mae'n biti garw mai ein sioe ni oedd y sioe ganu gwlad olaf i'w chynnal yn y lle; mae'n golled i ni i gyd.

Roeddem yn dal i gydweithio â Tony Best a byddem yn mynd i Tenerife gydag ef a chriw mawr o artistiaid a chefnogwyr. Yr orau o'r rhain oedd y daith pan aethom i westy ar ochr ddwyreiniol yr ynys. Lle braf iawn oedd hwn heb ormod o bobl nac adeiladau mawr o amgylch y lle. Yr artistiaid a ddaeth gyda ni oedd Sarah Jory, Paddy Kelly o Lerpwl, Dave Sheriff, Denis Collier, Jolene a Barry. Un arall a ddaeth oedd y DJ anarferol iawn hwnnw – Ian Ashcroft a oedd yn ein difyrru â phob math o drugareddau – yn cynnwys dafad blastig – wrth chwarae ei recordiau. Cawsom hwyl fawr yn ystod y dydd yn chwarae gwahanol gêmau o amgylch y pwll nofio ac wrth gwrs roedd rhaid cael gêm polo dŵr gydag Andy'n gapten ar un tîm. Fo enillodd yr holl dwrnamaint ac ar ddiwedd yr wythnos derbyniodd dlws wedi ei wneud o ffoil! Byddem i gyd yn canu gyda'r nos mewn ystafell yn arbennig i ni ac yn gorffen gydag Ian a'i fiwsig. Daeth Bobby, Lorna a Brenda o Lanberis ar un daith gyda ni yno ac ni wnaf fyth anghofio canu 'Lawr ar Lan y Môr' am bedwar o'r gloch y bore yn eistedd ar gwch ar lan y môr yno. Sôn am rebals wir!

Aethom ar gryn dipyn o deithiau tramor yn y cyfnod hwn: Iwerddon, yr Almaen a Ffrainc. Ar ôl dychwelyd adref o Tenerife un tro, roeddem yn nhŷ Gwyddel o'r enw Shaun Michael a oedd yn byw yng Ngwlad yr Haf ac ar ôl noson o ddangos lluniau a hel straeon am Tenerife roedd Shaun yn genfigennus ohonom yn cael mynd dramor a chael cymaint o hwyl gyda'n cefnogwyr. Y noson honno rhoesom iddo'r syniad am wneud taith i Iwerddon gan mai yno oedd y lle amlycaf iddo ef fynd. Felly y bu hi ac fe aethom ni a Shaun i westy'r Gleneagles yng Nghilarney gyda phedwar llond bws. Mae Shaun yn dal i fynd i'r un gwesty bob blwyddyn. Mae'n od sut mae rhai pobl yn anghofio pwy sydd wedi rhoi syniadau iddynt gan na chawsom wahoddiad i fynd gydag ef wedyn!

Roedd hen ffrind i ni o Wigan, sef Bob McKinley, yn gwneud teithiau'r adeg hon i Boppard ar y Rhine yn yr Almaen ac fe gawsom fynd gydag ef un flwyddyn. Unwaith eto roedd y daith yn un boblogaidd gyda dau lond bws yn teithio i'r Almaen. Cwmni bysiau Shearings oedd Bob yn eu defnyddio ond yn anffodus roedd y bws yr oeddem ni'n teithio arni yn torri lawr o hyd. Bu raid i'n bws gael ei lusgo oddi ar y fferi yn Calais yn Ffrainc a dyna beth oedd cywilydd pan gawsom gymeradwyaeth gan deithwyr y bws arall. Cymerodd y daith oriau hir i gyrraedd Boppard gan mai dim ond 30 milltir yr awr y gallai'r bws ei wneud! Cyrhaeddsom Boppard am un o'r gloch y bore a ninnau wedi cychwyn o ogledd Cymru am bedwar o'r gloch y bore cynt! Cawsom amser gwych yn yr Almaen er gwaetha'r daith a gadawodd Boppard argraff fawr arnom – lle delfrydol i fynd ar wyliau rywbryd os ydych am ymlacio gyda thaith ar yr afon fendigedig, cwrw a gwin da, siopau dipyn yn wahanol i'r arferol a digonedd o fwyd da.

Roedd yr holl deithio tramor yn dechrau plannu had ynom a dechreusom feddwl y buasai gwneud teithiau tebyg ein hunain yn syniad. Ond nid dyma'r amser i wneud hyn; fe ddaeth hynny'n ddiweddarach.

Tua'r un adeg, roedd dau ddyn o Doncaster ag awydd cynnal gŵyl canu gwlad yng ngogledd Ffrainc ger Dunkerque. Roedd gan y ddau hyn, sef Geoff a Ken, gwmni bysiau eu hunain a gofynnwyd i ni am ein cymorth i redeg yr ŵyl iddynt. Roedd yr ŵyl i'w chynnal mewn neuadd ac adeilad chwaraeon mawr o'r enw Sportica. Deuai pobl o Brydain yn eu llu yno – un bws o Gaergybi un flwyddyn – am benwythnos ym mis Mehefin, a deuai Ffrancwyr yn ogystal i ddawnsio i ganu gwlad. Rhywbeth newydd oedd canu gwlad i Ffrainc ac nid oeddent yn deall yn union beth oedd yn digwydd. Wrth lwc fe ddaeth Ffrangeg Andy yn handi iawn dros y penwythnosau hyn. Dyn garw iawn oedd Geoff o ogledd Swydd Efrog a gwnâi inni weithio'n galed iawn gan i ni orfod canu yn y prynhawn yn ogystal â chynnal y sesiynau gyda'r nos tan ddau o'r gloch y bore.

Er hyn fe gawsom hwyl yng nghwmni'r artistiaid Ida Red, Lemon Grass, Les Close, Jim Ryder, New Dawn, Bob McKinley, ac ar ddiwedd bob nos byddem yn dod ynghyd ar y llwyfan a chanu gyda'n gilydd – byddai hyn bob amser yn ennyn cymeradwyaeth fyddarol. Parhaodd yr ŵyl am bum mlynedd a gwych o beth oedd gweld yr un wynebau yno flwyddyn ar ôl blwyddyn. Un gŵr a erys yn fy nghof oedd Ffrancwr o'r enw Jacques oedd â locsyn a fyddai'n briodol iawn ar grwydryn; byddai ei anadl yn ogleuo o garlleg a chariai gitâr drydan goch mewn bag bob-tro er y gwrthodai ei chwarae. Byddai'r creadur hwn yn gwneud hi'n syth amdanaf i bob blwyddyn a rhedai Andy i ffwrdd a'm gadael i geisio dal pen rheswm â'r hyn a ddywedai wrthyf yn Ffrangeg. Nid wyf yn gwybod dim mwy na hanner dwsin o eiriau Ffrangeg, sef *vin*, *pain*, *fromage*, *toilette*, *oui* a *no*!

Anghofiwn ni fyth y pum mlynedd o fynd drosodd ar y Sally Ferry o Ramsgate i Ffrainc i ganu yn y penwythnos hwn ond yn anffodus mae un penwythnos yn fwy cofiadwy na'r gweddill. Roeddem wedi bod ar ein gwyliau un mis Mehefin yn crwydro Ewrop cyn yr ŵyl a heb weld teledu na phapur newydd o gartref ers tair wythnos. Pan gyrhaeddsom ein gwesty yn Sportica ger Dunkuerque a chynnau'r teledu oedd yn codi rhaglenni o Brydain, gwelsom bobl yn rhwyfo cychod lawr stryd fawr Llandudno! Ia, Llandudno. Roedd storm aruthrol wedi achosi llifogydd yno a'r unig beth fedren ni ei wneud oedd ffonio fy mam gan ei bod hi'n byw yn Llandudno. Dywedodd wrthyf ei bod hi'n iawn ond roedd yna lifogydd mawr wedi taro Glan Conwy gan fynd drwy ein tŷ ni! Ni chredwn hyn gan ein bod yn byw ar ben allt, ond yn anffodus hi oedd yn iawn. Daeth y dŵr a'r mwd i mewn drwy ddrws y ffrynt ac allan drwy'r cefn. Roedd cymdogion y pentref wedi gorfod cysgu ar lawr y neuadd dros dro.

Roedd y siwrnai adref o Ffrainc yn un hir iawn y flwyddyn honno, er ein bod am gyrraedd ein tŷ; eto, nid oeddem ychwaith am weld yr hyn oedd wedi digwydd i'n cartref bach ni. Wedi teithio cannoedd o filltiroedd o ogledd Ffrainc i Lan Conwy nid oedd agor ein drws yn bleserus y tro hwn. Roedd mwd ym mhobman ac er bod y dŵr wedi sychu erbyn i ni gyrraedd, dywedodd swyddog iechyd yr amgylchedd y byddai'n rhaid inni daflu unrhyw beth yr oedd y dŵr wedi'i gyffwrdd. Bu raid i'r tŷ gael lloriau, grât, cegin ac ystafell ymolchi newydd yn ogystal â dodrefn newydd. Dinistriwyd nifer fawr o'n recordiau personol ni ynghyd â lluniau gwerthfawr a oedd yn amhosibl eu cael yn ôl.

Ugain mil o bunnau oedd cost y difrod a bu raid inni fynd i aros gyda mam Andy am dri mis tra oedd yr adeiladwyr wrthi. Diolch byth fod gennym yswiriant a diolch fod gennym le i aros ynddo am gyhyd. Roedd yn dipyn o straen byw gyda mam-yng-nghyfraith am dri mis, yn enwedig a hithau yn ei saithdegau a ninnau'n byw y bywyd crwydrol gan ddod i mewn i'w thŷ droeon ynghanol nos. Er ein bod yn ddiolchgar iawn am gael to dros ein pennau, ac ar adegau roedd hi'n gysur cael ei chwmni, eto, does unlle yn debyg i gartref ac felly ar ôl tri mis fe ddychwelsom i Faen Llwyd, Glan Conwy. Ond er bod dodrefn a charpedi newydd yn eu lle, cegin newydd smart ac ystafell ymolchi foethus, nid oedd y teimlad yr un fath, ac ymhen blwyddyn dechreusom chwilio am gartref newydd.

# Ar Ôl y Llifogydd

Ar ôl y llifogydd aethom ati i ddechrau chwilio am gartref newydd. Roedd mam Andy yn nesáu at ei phedwar ugain ac yn dechrau gwanhau, felly y peth gorau i ni wneud oedd trio cael tŷ gydag ystafell yn arbennig iddi hi fedru ddod i fyw atom. Mae'r holl broses o symud tŷ yn un anodd iawn, a'r boen fwyaf i ni oedd ble i ddechrau chwilio? Roeddem am ddewis ardal Caernarfon er mwyn bod yn agosach at fy ngwreiddiau yn Nyffryn Nantlle. Syrthiais mewn cariad â thŷ bendigedig yn Nebo ger Pen-y-groes, Arfon, ac fe aethom cyn belled â chael arolwg wedi'i wneud arno ond yn anffodus fe dynnodd y bobl oedd yn prynu ein tŷ ni yn ôl. Dyna deimlad ofnadwy pan werthwyd y tŷ yn Nebo i rywun arall a minnau wedi dychmygu byw yno.

Felly, yn ôl â ni at yr arwerthwyr tai ac ar ôl aros i gael cynnig arall ar ein tŷ fe brynom dŷ gydag ystafell addas i fam Andy yn y Bontnewydd ger Caernarfon. Criais wrth gloi'r drws am y tro olaf ar ein tŷ bach cyntaf yng Nglan Conwy – roedd gennym gymaint o atgofion da am y lle ac amheuem a fyddai'r perchennog newydd yn mynd i garu'r hen dŷ – a oedd dros ddau gant oed – yr un fath â ni.

Symudwyd ein heiddo mewn lorri anferth i Fwthyn Stablau, Bontnewydd, ar 22ain o Hydref, 1996, ac ar ôl chwe mis symudodd Lu i mewn atom. Er ei bod wedi bod yn ddynes annibynnol iawn fe drodd i fod yn ddibynnol arnom o fewn dim o dro. Roedd hyn yn anodd i ni gan ein bod yn dal i deithio a chanu ymhell o gartref, felly bu raid cael gofalwyr i ddod i'r tŷ tra oeddem i ffwrdd.

Hen stablau oedd yn perthyn i dŷ o'r enw Glan Beuno oedd y bwthyn a chyn-berchenogion y bwthyn oedd dau bendefig lleol, sef Arglwydd ac Arglwyddes Niwbwrch. Ar ôl iddo ef farw symudodd yr Arglwyddes i'r stablau a oedd wedi eu hadnewyddu'n dda iawn gyda lloriau blociau pren a chloch ymhob ystafell er mwyn galw'r forwyn – deuai hyn yn ddefnyddiol iawn uwchben y bath! Aethom ati i ymchwilio i hanes teulu'r Niwbwrch a phlasty Glynllifon gan ymweld â'r llyfrgell. Yno dois ar draws llyfr am hanes Arglwyddes gyntaf Niwbwrch, sef Maria Stella a anwyd yn yr Eidal yn 1773. Mae wedi dod yn rhyw fath o obsesiwn gennym gan fod ei stori yn un anhygoel ac wrth ddilyn ei hynt rydym wedi mynd i bedair gwlad. Mae Andy am ysgrifennu llyfr yn adrodd ei stori ac mae eisoes wedi darlithio am hanes yr Arglwyddes.

Roedd gardd enfawr yn y tŷ newydd gyda choed a llwyni na welsom yn unlle arall, ond dipyn o fwrn oedd yr ardd i ni gan nad yw'r un ohonom yn arddwr. Ni wnaf fyth anghofio ffrind i ni o Newcastle yn dod i lawr am y tro cyntaf i'n gweld a sefyll yn yr ardd gan ddweud, 'Gardd! Dwi wedi gweld parciau llai gartref!'

Er ei fod yn gyfnod anodd gyda mam Andy dan yr un to â ni, roedd byw yn y Bontnewydd yn golygu ein bod yn agosach at gwmni Sain yn Llandwrog ac roeddem eisoes wedi recordio dwy albwm gyda hwy. Wrth fynd ati i gynllunio'r drydedd, cawsom gynhyrchydd a oedd â chydymdeimlad llwyr â'r math o ganu oedd yn mynd â'n bryd. Tudur Morgan oedd hwn, cerddor a chyfansoddwr gwych – mae gennym barch mawr ato ac rydym yn edmygu ei holl waith. Roeddem yn ffans mawr o'r ddau fand yr oedd ynddynt, sef Pedwar yn y Bar a Mojo, felly, roedd cael Tudur i gynhyrchu'r albwm *Cerdded Dros y Mynydd* yn mynd i fod yn bleser, heb sôn am ei gael i chwarae ei gitâr acwstig ar yr albwm yn ei ffordd unigryw a medrus ef. Mae ei dalent ef yn werthfawr i ni yn y byd adloniant yng Nghymru a gall ef hefyd sefyll ochr yn ochr ag unrhyw gitarydd yn y byd.

Clywais y gân 'Cerdded dros y Mynydd' ar gystadleuaeth Cân i Gymru yn cael ei chanu gan Bedwyr Morgan, sef brawd Tudur, ac wedi ei chyfansoddi gan Rhodri Thomas oedd yn gweithio yn adran newyddion y BBC ym Mangor. Yn olaf y daeth y gân yn y gystadleuaeth arbennig honno ond teimlem y byddai ein harddull ni yn gweddu i'r dim i'r gân. Mae hyn wedi ei brofi gan iddi fod yn gân lwyddiannus iawn i ni. Cawsom gerddorion gwych ar yr albwm: Bedwyr Morgan ar y gitâr drydan – gitarydd nad yw'n cael digon o glod yma yng Nghymru yn ein barn ni – sy'n chwarae'r rhan offerynnol ar *Cerdded Dros y Mynydd*; Charlie Britton ar y drymiau (dyma chi un arall o enwogion Cymru – allwn i ddim credu fod drymiwr Edwrad H Dafis yn chwarae'r drymiau i ni!); Geoff Betsworth yn chwarae'r gitâr ddur; Gari

Williams ar y bas ac Iain Bradshawe ar y piano. Mae'r band hwn wedi bod yn gefn i ni droeon ar lwyfannau Cymru a gallwn ddibynnu arnynt i wneud eu gwaith yn broffesiynol. Mae'n bleser eu cael ar lwyfan Theatr Gogledd Cymru ar nosweithiau Sain ac yn ein gŵyl Canu Gwlad yn Llandudno.

Roedd gennym ganeuon da eraill ar yr albwm hwn ac yn eu plith oedd y gân 'Padi' a recordiwyd gyntaf gan Mynediad Am Ddim. Roeddwn wedi bod yn ffan mawr o Ems (Emyr Huws Jones) ac roeddwn mor falch o gael recordio un o'i glasuron. Ni wnaf anghofio'r noson yn y pafiliwn yn Eisteddfod Llanbedr Goch ger Llangefni pan wnaethom gymryd rhan yn y noson o deyrnged iddo a chanu'r gân 'Padi'. Mae clawr yr albwm hefyd yn un arbennig gan ei fod wedi ei dynnu o flaen llyn Nantlle, a chan fod gennym gân am y lle o'r enw 'Atgof Am Eryri' mae'r llun yn ei gwneud yn go neilltuol i mi'n bersonol. Ond ni wnaf anghofio'r gwynt oer oedd o amgylch y Dyffryn wrth inni gael tynnu ein llun yno gan Gerallt Llewelyn.

Tua'r un adeg, yn niwedd y nawdegau, cawsom wneud fideo gyda chwmni Sain; O P Huws oedd yn rhedeg yr ochr yma o'r cwmni. Dyma fideo arall oedd ger llyn yn Nantlle ond bu bron i ni fethu â gwneud yr eitem gan ei bod yn tywallt y glaw a doedd yna 'run mynydd i'w weld yn unman. Dim ond am y diwrnod yr oedd OP wedi llogi'r camera felly roedd rhaid i ni aros tan i'r glaw beidio. Dim ond am sbel fer iawn y gwnaeth hynny ac wrth i'r cymylau godi oddi ar y mynyddoedd gallem weld eira mawr ar yr Wyddfa gan roi golygfa dda i'r ffilm. Ond, credwch fi, roeddem wedi hen laru ac wedi rhewi erbyn hynny.

Fideo arall a wnaethom oedd hwnnw o'r gân 'Awn i Wario dy Arian', sef cân oddi ar y gryno-ddisg *Gwin yr Hwyrnos*. Cawsom hwyl yn actio'r gân hon gan inni gael ein ffilmio mewn Rolls Royce, yn siopa, yn torheulo ger pwll nofio, ac yn gorffen gyda mi ym mreichiau dyn cyhyrog! Naci, nid Andy! Roedd hi'n tywallt y glaw wrth fynd o siop i siop o amgylch Caernarfon felly roedd hi'n beth braf cael recordio'r cyngerdd tu mewn i glwb sych, cynnes yng ngwersyll Glangwna, Caernarfon. *The Hills I Used to Roam* yw enw'r fideo gyda llun o'r ddau ohonom ar y clawr o flaen llyn Nantlle – a'r tro yna yn gynnes!

# Sain

Un o'r problemau a achoswyd gan y llifogydd yn ein tŷ yng Nglan Conwy oedd mwd; roedd mwd ym mhobman ar ôl i'r dŵr sychu. Roedd ein llythyrau wedi eu gorchuddio â'r stwff budur yma, ac yn ei gwneud hi'n anodd iawn i'w darllen. Un o'r llythyrau hyn oedd un gan Dafydd Iwan yn ein gwahodd i drafod recordio cryno-ddisg gyda chwmni Sain yn Llandwrog. Roeddem wedi recordio un casét ein hunain yn uniaith Gymraeg ychydig flynyddoedd yn gynharach ond llawer gwell fyddai cael ein recordio gan gwmni recordio blaenllaw o Gymru a allai ddosbarthu recordiau drwy Gymru gyfan a thu hwnt. Felly, trefnwyd cyfarfod ac ar ddiwrnod gwlyb iawn yn yr hydref aethom i siarad â Dafydd Iwan yn ei swyddfa yn Llandwrog.

Rhaid i mi gyfaddef fy mod yn nerfus iawn yn mynd yno – i feddwl fy mod i'n mynd i siarad â Dafydd Iwan ei hun! Yno yr oeddwn yng nghwmni un o'm harwyr. Roedd gennyf ei recordiau a'i lyfr o ganeuon – wedi ei lofnodi – ac ni allwn lai na phendroni tybed beth ddywedai fy nhad pe bai'n fyw. Ei freuddwyd ef erioed oedd i ni gael record Gymraeg yng Nghymru. Roedd yn llawer pwysicach iddo ef ein bod yn dod yn adnabyddus yng Nghymru nag yn unrhyw wlad arall.

Penderfynwyd yn y cyfarfod ein bod i recordio tair albwm o fewn pum mlynedd ar label Sain. Gan ein bod yn dal i weithio yn Lloegr fe wnaethom recordio'r gryno-ddisg gyntaf yn ddwyieithog; byddem yn recordio'r caneuon i gyd yn Gymraeg i ddechrau ac yna'n canu'r holl ganeuon yn y Saesneg gan ddefnyddio'r un cefndir.

Ni ein hunain a gynhyrchodd yr albwm gyntaf, *Gwin yr Hwyrnos*, gyda chwmni Sain, rhywbeth anarferol iawn ar y pryd ond gyda chymorth Gethyn Evans y peiriannydd fe wnaethom fwynhau'r profiad. Y cerddorion a ddaeth i chwarae ar yr albwm oedd Iain Bradshawe (allweddellau), John Pugwash Weathers (drymiau), Brian Breeze (gitâr drydan) a Geoff Betsworth ar y gitâr acwstig a dur. Geoff ysgrifennodd y gân a ddefnyddiom yn deitl i'r albwm sef *Spirit of the Night* ac fe'i haddaswyd i'r Gymraeg gan Dafydd Iwan a'i galw'n *Gwin yr Hwyrnos*. Addasiadau oedd nifer o ganeuon ar yr albwm gan inni gyfieithu nifer o ganeuon gwlad Americanaidd, ac addasodd fy Wncwl Irfon ddwy gân i ni. Nodais eisoes fod Dafydd Iwan wedi addasu'r gân anhygoel 'Part of your World' gan Raymond Froggatt a'i galw'n 'Rhan o dy Fyd' felly roedd cael teyrnged i 'nhad ar yr albwm gyntaf gyda chwmni Sain yn addas iawn.

Pan ryddhawyd yr albwm cafodd ei chwarae droeon ar Radio Cymru a Radio Ceredigion. Roedd hyn bob amser yn rhoi gwefr i ni a byddai Mam yn fy ffonio pan oeddwn ymhell o gartref gan ddweud wrthyf ei bod wedi clywed cân oddi ar yr albwm y bore hwnnw. Dwi'n dal i gael yr un teimlad heddiw yn enwedig os af i'r car a rhoi'r radio ymlaen a chlywed ein hunain yn canu arno.

Chwaraeodd y rhaglen *Country Club* ar Radio 2 y gân 'Gwin yr Hwyrnos' gan fynd o'r fersiwn Gymraeg i'r Saesneg. Camp fawr oedd hyn i ddeuawd o Gymru gan mai ychydig iawn o ganeuon gan artistiaid o Brydain a glywid ar y rhaglen hon ac mae'n siŵr mai dyma un o'r ychydig droeon prin i'r Gymraeg gael ei chlywed ar Radio 2.

Yn yr un flwyddyn ag y recordiwyd *Gwin yr Hwyrnos* fe gynhaliwyd, am y tro cyntaf, wobrau canu gwlad gan BBC Radio 2 ac yn rhyfeddol fe enwebwyd ein halbwm *Spirit of the Night / Gwin yr Hwyrnos* yng nghategori 'Yr Albwm Orau gan Artist o Brydain' a chân Geoff Betsworth 'Spirit of the Night' yng nghategori 'Y Gân Orau gan Gyfansoddwr o Brydain' ac i goroni blwyddyn 1995 cefais innau fy enwebu yng nghategori 'Cantores Orau Prydain'. Nid oedd categori ar gyfer deuawdau.

Ar Fawrth 23, 1995 – diwrnod pen-blwydd mam Andy – aethom i stiwdio Pebble Mill yn Birmingham lle darlledid y sioe ar deledu a radio. Daeth criw y rhaglen *Hel Straeon* i wneud rhaglen amdanom, a chan fod yr albwm ar label Sain daeth O P Huws ac Elin o'r cwmni gyda ni. Dyna lle'r oeddem i gyd yn ein gwisgoedd gorau yng nghanol enwogion y byd canu gwlad ym Mhrydain gan eistedd yn y gynulleidfa i glywed y canlyniadau.

Nid oedd yr un ohonom yn gwybod y canlyniadau ond doedd dim ots gen i am y rheini achos roedd cael ein henwebu yn ddigon i ni.

Sarah Jory enillodd y gantores orau, albwm Charlie Landsborough enillodd yr albwm orau a hefyd ei gân 'What Colour is the Wind' enillodd y gân orau. Daeth cân Geoff Betsworth yn agos iawn at ennill. Cyfieithais y gân a enillodd, sef 'What Colour is the Wind', i'r Gymraeg ar gyfer ein hail albwm i recordiau Sain ac mae 'Beth yw Lliw y Gwynt' wedi bod yn llwyddiant mawr i ni; mae'n gân anhygoel ac yn stori wir am sgwrs a glywodd Charlie rhwng merch fach ddall a'i thad wrth iddi ofyn iddo ddisgrifio'r byd o'i gwmpas iddi.

Er nad oeddem wedi ennill dim y noson honno cafwyd hwyl dda iawn yn y gwesty gyda chwisgi Jack Daniels yn mynd i lawr yn dda ac, wrth gwrs, roedd yna ddigon o ganu gyda'r gitâr yn y bar. Mwynheais ganu gyda Kenny Johnson a Keith Thornhill – dau o gantorion enwog canu gwlad o Lerpwl.

Yn y gynulleidfa y noson honno roedd dwy ferch o'r enw Chris While a Julie Matthews a oedd yn enwog iawn yn y byd gwerin ym Mhrydain a thramor. Ar ôl sgwrsio gyda nhw dywedodd Chris eu bod wedi ysgrifennu cân o'r enw '100 Miles' ar lan y môr yn Nefyn a bod croeso unrhyw bryd i ni ei chael i'w recordio. Yn y man daeth casét gyda hanner dwsin o'u caneuon drwy'r post ac addaswyd rhai o'r caneuon i'r Gymraeg ar gyfer ein hail albwm gyda Sain. Galwyd y gryno-ddisg hon yn *Milltiroedd* (geiriau gan Emyr Huws Jones) ac ar gyfer y clawr cafwyd llun o lan y môr Aberdesach gyda Nefyn yn y cefndir gan ffotograffydd arbennig iawn, sef Glyn Davies. Braint fawr yn y flwyddyn dwy fil oedd cael canu hon ar lwyfan Theatr Gogledd Cymru gyda Cherddorfa Genedlaethol Cymru ar gyfer Cyngerdd y Mileniwm ar Radio Cymru.

Albwm o ganeuon dipyn yn wahanol oedd *Milltiroedd*. Cawsom ganeuon diddorol gan Chris a Julie yn ogystal â chyfansoddwr arall o'r enw Jim Donaldson. Canwr-gyfansoddwr oedd Jim, yn wreiddiol o Glasgow. Mae ganddo lais tenor hyfryd a gall chwarae offerynnau'n dda. Bu'n gweithio gyda Charlie Landsborough, ac mae'n ffrind da iddo, ac erbyn recordio

*Milltiroedd* ymunodd â ni gan ffurfio triawd bob yn hyn a hyn. Cansom mewn nifer o glybiau canu gwlad lle roedd y gynulleidfa'n eistedd ac yn gwrando, nid oedd ein sioe yn addas ar gyfer dawnswyr, ac felly, fel yr oedd pethau'n mynd erbyn hyn, nid oedd llawer o lefydd ar ein cyfer gan fod dawnsio llinell newydd gydio yn y genedl.

Roedd ein rhaglen yn fentrus iawn gan ein bod yn hoffi canu caneuon nas clywyd gan unrhyw artist arall. Ein steil ni oedd rhyw fath o gerddoriaeth Tir Glas ac acwstig gyda harmonïau mewn tair rhan. Âi ias lawr fy nghefn wrth ganu cân o'r enw 'If I Could Only Win Your Love' yn ddigyfeiliant fel triawd, ac mae hefyd wedi cyffwrdd nifer o bobl – 'nefolaidd' oedd y disgrifiad ohonom gan rai. Nid oes digon o nosweithiau ar gyfer cerddoriaeth acwstig ym Mhrydain ond roeddem yn falch ein bod wedi cael y cyfle i'w pherfformio am ychydig. Oherwydd y diffyg cyfle hwn bu raid i Jim roi'r gorau i ganu'n gyhoeddus ac mae ef yn awr yn byw gyda'i wraig Megan mewn bwthyn yn Ucheldir yr Alban ac yn cyfansoddi caneuon gwych.

Cyfansoddwyd dwy o'r caneuon ar yr albwm *Milltiroedd* gan ganwr-gyfansoddwr enwog o'r enw Hugh Moffatt. Ymhlith ei ganeuon enwog ef mae 'Old Flames' a recordiwyd gan Dolly Parton, ond y ddwy gân ar ein halbwm ni (a'r ddwy wedi'u haddasu i'r Gymraeg gan Dilys Baylis) yw 'Angels' a 'Rose of my Heart'. Roeddem wedi ymddangos gyda Hugh Moffatt mewn gŵyl fawr yn St Helens, Lerpwl, ac yno fe roddodd gopi o'r gân 'Angels' inni. Nid oes neb arall wedi recordio'r gân hon. Mae yna ferch o'r enw Susan Hedges yn canu'r fersiwn Saesneg gyda fi – merch y bu inni ei chyfarfod yn Tenerife yn un o'r gwyliau canu gwlad; dim ond deg oed oedd hi pan welsom hi gyntaf. Mae Susan yn ddall ers ei genedigaeth ac yn byw i ganu gwlad ac erbyn heddiw mae'n cyfansoddi caneuon bendigedig yn ogystal â chanu. Mae hi'n ddeunaw oed erbyn hyn ac yn mynd i goleg cerdd ac wedi ei sefydlu ei hun fel un o brif gyfansoddwyr Prydain gan ennill 'Merch y Flwyddyn' ar lannau Merswy.

Emyr Rees a gynhyrchodd yr albwm *Milltiroedd*, a chan ei fod ef yn gerddor clasurol mae yna ôl clasurol ar nifer fawr o'r caneuon; mae'n drefniant gwahanol i'r hyn y byddem ni wedi ei roi ar rai ohonynt. Hefyd nid oeddem yn hoff iawn o'r ffordd y recordiai ef ein canu ni gan ein gwneud i ganu un llinell ar y tro. Nid felly mae canu gwlad i fod, ac roedd hi'n anodd rhoi digon o emosiwn wrth ganu fel hyn. Byddai yna dipyn o anghytuno yn y stiwdio ond ef oedd â'r gair olaf gan mai ef oedd y cynhyrchydd. Ond fe gynhyrchodd ef albwm broffesiynol, wahanol a gwerth ei chael ac fe'i chwaraewyd ar nifer o raglenni radio ar hyd a lled Prydain.

Cawsom gyfweliadau ar nifer fawr o raglenni radio: Shetland, Radio Tweed a'r Borders, Great Northern Radio, Humberside, Derby, Essex, Radio Wales, Radio Cymru a Radio Ceredigion. Roedd ein lluniau ar dudalen flaen amryw o bapurau canu gwlad – roedd hi'n grêt bod yn *cover girl*!

# Yr Alban ac Ynys Iona

Ar hyd y blynyddoedd rydym wedi teithio a chanu gymaint o weithiau yn yr Alban fel ein bod yn teimlo fod y wlad yn ail gartref i ni. Mae gennym ffrindiau agos iawn erbyn hyn yn y pentref hyfryd hwnnw, St Bosswell, sydd ar y ffin, sef Richard a Noelle Johnston a Colin a Linda Ovens – ffrindiau da nad oes mo'u gwell yn unman. Y noson y cyfarfuom oedd pan oeddem yn canu yng nghlwb y Lluoedd Arfog yn y pentref, mewn noson wedi ei threfnu gan George Ingles. Ni wnaf fyth anghofio'r noson oherwydd gwasgwyd dros gant o bobl i mewn i'r clwb fel sardîns. Mae'r ardal hon yn frwdfrydig iawn ynglŷn â'i rygbi, a chan fod nifer o dimau Cymru wedi bod yn chwarae yn erbyn Melrose, Jedburugh a Selkirk bu raid i ni orffen y noson drwy ganu 'Hen Wlad Fy Nhadau' gyda phawb yn yr ystafell ar eu traed. Roedd hi'n anodd peidio colli deigryn y noson honno. Cawsom wahoddiad am goffi fore trannoeth i dŷ Richard a Noelle gan fod eu tŷ gyferbyn â'r clwb. Lle Gwely a Brecwast oedd ganddynt ac felly fe wnaethom ofalu ein bod yn aros gyda nhw y tro nesaf yr oeddem yn St Bosswell. Dim ond hanner pris godwyd arnom am aros y flwyddyn honno ac wrth i'r amser fynd rhagddo nid oeddent am godi arnom o gwbl.

Roedd Richard a Noelle yn aelodau o grŵp gwerin o'r enw Scheihallion ac yn berchen ar bob math o offerynnau yn y tŷ. Pan glywodd Richard ein bod yn mynd i brynu peiriant drwm newydd, dywedodd y byddai ef yn hoffi cael yr hen un er mwyn ymarfer yn y tŷ, a thrwy hynny fe darwyd bargen rhyngom ei fod ef yn cael y peiriant drwm a'n bod ninnau yn cael gwely a brecwast am ddim am weddill ein hoes! Bargen dda dd'weda' i! Byddwn yn ymweld â hwy ddwywaith y flwyddyn er nad ydym yn canu yn y clwb mwyach a byddant yn dod i Gymru hefyd i'n gweld ni.

Ar nosweithiau Gwener, cynhelir clwb sièd yn eu gardd, ac yma mae pob math o weithgareddau'n digwydd. Cerddoriaeth, wrth gwrs, sydd yn cael ei greu yn bennaf ac i helpu pawb i ymlacio i ddawnsio a chanu mae'n rhaid cael dipyn o win a chwisgi. Un noson roedd y ddiod wedi mynd i lawr yn rhy dda a dyma un o ferched Richard – mae ganddynt dair o ferched penfelyn – yn awgrymu ein bod yn cerdded at gerflun eu harwr William Wallace, sef yr enwog Braveheart. Gan ei bod hi bellach yn un ar ddeg y nos gofynnais pa mor bell oedd hynny, a'r ateb a gefais oedd deng munud. Felly, gyda fflachlampau a fflasgiau bychain yn llawn chwisgi Padi, i ffwrdd â ni i chwilio am Wallace. Treuliasom awr yn mynd drwy goedwig a llwybr ger afon ac erbyn hyn dechreuai batris ein tortshis ni wanhau nes iddynt ddarfod yn llwyr gan wneud y daith yn beryglus iawn. Doeddwn i ddim am ddangos ein bod ni'r Cymry'n ofn y tywyllwch, felly, dal i gerdded wnaethom ni hyd nes cyrraedd y cerflun mwyaf dwi erioed wedi ei weld. Mae'n fwy na *David* gan Michaelangelo, ac yn sicr yn fwy na'r Owain Glyndŵr ar y sgwâr yng Nghorwen (ond nid yw hynny'n anodd). Gorffennwyd y fflasgiau ac am hanner nos fe ganwyd 'Flower of Scotland' o dan y sêr. Ar y ffordd yn ôl fe aethom ar hyd y briffordd er mwyn cael golau lampau ond dywed Andy fy mod i wedi cael llond bol ar hyn a fy mod wedi penderfynu gorwedd yn y gwellt tal ar ochr y ffordd a syrthio i gysgu. Wedi i mi gael fy mherswadio nad fy ngwely i oedd hwn es i a Noelle i gae cyfagos a chodi tatws (peidiwch â gofyn pam!). Cyrhaeddsom yn ôl am hanner awr wedi dau y bore – tipyn o antur! Ni welsom lawer o'r diwrnod canlynol a bu'n amser hir cyn y mentrais gyffwrdd chwisgi Padi wedi hynny.

Mae ymweliad â St Bosswell bob amser yn un i'w gofio. Un tro yn y clwb yno bu raid i mi siafio locsyn dau ddyn. Gwisgais ddillad nyrs (rhai Noelle) a chyda chryman yn fy nwylo cerddais i mewn i'r clwb. Dyna lle roedd y ddau ddyn druain yn crynu wrth feddwl fy mod am ddefnyddio hwnnw! Llwyddais i'w siafio er mwyn codi arian at elusen ond nid ydw i'n siŵr beth oedd eu gwragedd yn feddwl ohonynt gan nad oeddent wedi eu gweld heb locsyn erioed o'r blaen.

Er mai o Loegr y daw Richard a Noelle, mae eu tair merch wedi eu geni yn yr Alban ac yn bendant yn Albanaidd eu hagwedd a'u hiaith, sy'n achosi dipyn o gynnwrf pan fo Lloegr yn chwarae'r Alban mewn gêmau rygbi rhyngwladol. Mae eu merch Emma yn byw yn Seland Newydd ac wedi priodi bachgen yno. A phan briododd eu merch Stella filfeddyg a chwaraewr rygbi o'r enw Funghi (Iain Lothangie) cawsom wahoddiad nid yn unig i'w priodas ond i ganu yn y seremoni. Cynhaliwyd y seremoni yn yr awyr agored yng nghanol adfeilion abaty Dryburgh ar ddiwrnod perffaith o haf. Yn yr haul crasboeth ac i gyfeiliant sŵn pibydd o'r Alban cerddodd Stella i lawr yr eil ar fraich Richard a hwnnw'n gwisgo cilt. Cansom gân o'u dewis nhw yn ddigyfeiliant, sef cân Tir Glas hen iawn o'r enw 'If I Could Only Win Your Love' a hynny wrth sefyll ger bedd Sir Walter Scott yn yr abaty. Ar ôl y gwasanaeth cafwyd parti mawr yn y gwesty gyda phawb o bob oed yn ymuno yn y dawnsio. Cawsom wahoddiad i briodas Emma yn Seland Newydd hefyd ond yn anffodus ni fedrem fynd, ac mae Anna eu merch ieuengaf nhw yn canlyn cerddor ac un sy'n chwarae rygbi, felly, gobeithio y cawn fwynhau eu priodas hwythau.

Lle arall y canem ynddo oedd Berwick-Upon-Tweed. Er ei fod yn Lloegr maent i gyd yn siarad ag acen Albanaidd ac mae popeth am y dref hyfryd hon yn Albanaidd. Byddem yn canu yn y clwb canu gwlad a gynhelid yn y clwb pêl-droed – clwb oedd yn cael ei redeg gan ddynes o'r enw Margaret Trotter. Gwae unrhyw fand oedd yn chwarae'n rhy uchel; byddai Margaret fel rhyw uwch-sarsiant yn dod ar y llwyfan ac yn gorchymyn pawb i fod yn ddistaw. Ond roedd hi'n bleser cael canu yn y cyngerdd hwn a byddai band arall wastad yn perfformio yno hefyd. Byddem yn canu un set o awr yn y canol gyda'r gynulleidfa wastad yn gwrando'n astud ar bob gair. Pleser pur.

Roedd Sarah Jory gyda ni pan aethom i Fort William, sydd yng ngogledd orllewin yr Alban, gan gymryd diwrnod a hanner i gyrraedd yno. Yno mae mynydd uchaf Prydain, sef yr hen Ben Nevis, yn ogystal â dyffryn Glencoe ac felly teimlem yn ddigon cartrefol ynghanol y mynyddoedd er ein bod mor bell o gartref. Yno hefyd y daliom fferi fechan i fynd ochr arall i Loch Linnhe er mwyn canu mewn lle o'r enw Lochalain. Pentref bychan reit ar ben ffordd un trac yw Lochalain; nid oes unman i fynd ymhellach ar y ffordd hon sy'n dod i'w therfyn ar lan y môr gan edrych allan at Ynys Mull. Dyma i chi lôn anhygoel i deithio arni yw hon, gyda gwartheg Ucheldiroedd yr Alban, merlod a cheirw gwyllt o boptu – mae'n curo teithio ar yr M25 o amgylch Llundain unrhyw adeg!

Yn neuadd y pentref bychan hwn y cynhaliwyd y cyngerdd a oedd yn wahanol i unlle yr oeddem wedi canu ynddo o'r blaen. Roedd gan bob dyn farf ac roeddynt yn gwisgo siwmperi Aran. Wrth ganu, teimlem fod pawb yn edrych yn amheus iawn arnom gan edrych ar eu horiawr yn aml gan glapio yn swta ar ddiwedd pob cân. Teimlem yn anniddig iawn ar y llwyfan ac yn falch o gyrraedd y toriad. Gadawodd y dynion y neuadd ar eu hunion gan adael y merched ar ôl. Ac yna esboniodd un ddynes wrthym nad oedd yna gwrw i'w gael y noson honno a bod y dynion wedi cuddio tuniau cwrw yn y llwyni y tu allan i'r neuadd a dyna lle roeddent yn chwilota amdanynt yn y tywyllwch!

Nid oeddynt yn hoff iawn o ganu yn y Saesneg, felly, dyma ni'n canu llawer o ganeuon Cymraeg iddynt yn yr ail hanner a bu diwedd gwell i'r noson. Aros yn Fort William yr oeddem a dyna i chi siwrnai hir iawn yn ôl a gawsom. Ni ddywedodd neb wrthym fod y fferi yn ôl yn stopio ar ôl naw o'r gloch y nos. Felly dyna edrych ar y map a threfnu cwrs arall yn ôl i Fort William. Golygai hyn fynd filltiroedd o amgylch y Loch ar hyd ffordd gul; gallem weld goleuadau Fort William yr ochr arall i'r dŵr ond bu raid i ni fynd yr holl ffordd o amgylch y llyn er mwyn cyrraedd ein gwely. Roedd hi'n bump o'r gloch y bore pan gyrhaeddsom Fort William, yn gandryll.

Er i ni ganu yn Inverness ac yn Aberdeen, Glasgow oedd y lle mwyaf yn yr Alban i ni ganu ynddo. Roedd ganddynt glwb canu gwlad go arbennig – hen dŷ pictiwrs wedi ei adnewyddu a'i droi yn *Grand Old Opry*, Glasgow. Byddent yn cael adloniant bob nos yma ac yno y gwelsom gowbois am y tro cyntaf yn yr Alban. Byddent yn cael 'Shoot Out' yn y toriad a byddent yn dawnsio i ni o'r eiliad gyntaf. Nid oeddem yn adnabod llawer o bobl yn Glasgow, felly dibynnem ar gyfeillgarwch pobl ddieithr. Yn anffodus, un tro, ni weithiodd pethau'n rhy dda. Roedd gennym gyfeiriad yn Govan – lle na fyddech yn mynd â'ch nain i aros y nos

– a dyna lle roeddem yn cerdded fyny'r grisiau at y degfed llawr (nid oedd y lifft yn gweithio) ac yno mewn fflat rhywun nad oeddem wedi siarad â hwy o'r blaen yr oeddem i aros nos. Rŵan mae hyn yn fater sensitif iawn; nid wyf yn snob ac ni chefais fy magu mewn crandrwydd ond un peth ofalodd Mam fy nysgu i yw bod yn lân. "Nid yw sebon yn costio llawer" oedd dyfyniad fy mam, ond dyna lle'r oeddem, am un o'r gloch y bore, mewn lle nad oedd wedi gweld dŵr na sebon erioed. Roedd yr ogla'n fy ngwneud i'n sâl a doedd ganddynt ddim gwely inni gysgu ynddo, dim ond gwely rwber wedi ei bwmpio i fyny a sach gysgu. Nid oedd yr un cwpan na soser wedi eu golchi ers blynyddoedd felly roedd cael diod o unrhyw beth yn berygl bywyd i'r iechyd. Roedd George, ein drymiwr, gyda ni y noson hon a dywedodd na wnâi byth aros gyda dieithriaid ar ôl y noson honno.

Codais am saith a dweud wrth Andy fod yn rhaid i mi adael y lle ac felly, yn ddistaw bach, gan adael nodyn yn dweud ein bod wedi gorfod gadael oherwydd salwch – teimlwn yn uffernol – i lawr y grisiau â ni gyda'n clustogau o dan ein ceseiliau ac i mewn i gaffi yn Goven beryglus gan ofyn 'Be ar y ddaear ydan ni'n ei wneud yma?'

Y noson ganlynol roeddem yn canu yn Ayr tua hanner can milltir o Glasgow ac unwaith eto roeddem i aros gyda dieithriaid. Cyflwynodd y boi 'ma ei hun i ni gan ddweud mai gydag ef a'i rieni yr oeddem i aros a gobeithio nad oedd gennym ddim byd yn erbyn Duw gan fod ei rieni'n grefyddol ac yn gweddïo o hyd, ac yn sicr roeddynt yn erbyn iddo ef fynd allan i fwynhau ei hun! Wel, doedd gennym ddim dewis gan nad oedd yna lefydd gwely a brecwast yn agos i'r lle, felly dilyn hwn oedd raid ar ddiwedd y noson gan obeithio fod Duw ar ein hochr ninnau hefyd.

Dywedodd rhywun wrthym unwaith os oes gan rywun esgidiau glân fod hynny'n golygu eu bod hwythau yn bobl lân hefyd; wel, buasech yn gweld eich wyneb yn esgidiau hwn, felly lawr y lôn â ni ar ei ôl. Nid oedd George o'r un farn â ni, felly penderfynodd beidio dod i mewn i'r tŷ gan gysgu yn ein fan ni y tu allan.

Rhaid dweud fod y stâd o dai yn ddigon annymunol ond yn eu canol roedd yna un tŷ bach twt gyda gardd flodau a drws y ffrynt ar agor ac yno, diolch i'r drefn, yr oeddem i aros. Roedd gennym wely glân a brecwast gwerth chweil a dyna lle roedd ystafell wely George gyda gwely sengl a thowel a sebon arno'n barchus heb ei gyffwrdd. Daeth George i mewn yn y bore a chael brecwast gyda ni gan ddweud wrth y bobl nad oedd yn hoffi cysgu mewn gwely!

Cawsom ein hanrhydeddu â theitl 'Hoff Ddeuawd y Flwyddyn' gan glwb canu gwlad yn Dumfries. Hwn oedd yr unig glwb gwrando yn yr Alban ac roedd eu noson yn cael ei chynnal ar nos Sul mewn ystafell fawr yng ngwesty'r Embassy. Byddem yn cael aros y noson yno ar ôl canu ac roedd hyn yn rhywbeth moethus iawn i ni. Byddem hefyd yn canu yn eu gŵyl fawr flynyddol a fynychid gan gannoedd o bobl.

Roedd yna glwb canu gwlad llwyddiannus iawn hefyd ar Ynys y Shetland yn yr wythdegau a byddent yn talu am ein hedfan yno i ganu am benwythnos. Yn anffodus fe gychwynnom ni ar y trywydd anghywir gyda nhw gan inni gael ein dal mewn traffig ar drafford yr M56 ar ein ffordd i faes awyr Manceinion. Bu i'r ddamwain achosi marwolaeth gŵr ifanc yn anffodus a chymerodd dair awr i glirio'r ffordd. Pan gyrhaeddsom y maes awyr roedd yr awyren wedi mynd a chan mai dim ond un awyren y dydd oedd yn hedfan i Shetland roedd gennym dipyn o broblem. Cynigiwyd awyren i Aberdeen i ni y p'nawn hwnnw ac felly y bu. Dyma ffonio ffrind i ni, sef Ruby Rendell, a bu hi'n garedig iawn yn gadael i ni aros gyda hi y noson honno. Cantores oedd Ruby ac roedd ei band yn canu'r noson honno, felly aethom gyda hi a chael noson dda – rhy dda a dweud y gwir gan fod gennym bennau mawr iawn pan gyrhaeddsom Shetland yn y pen draw.

Nid yw hedfan yno yr un fath â mynd i Sbaen ar Boeing 747 o bell ffordd, ond bob tro yr aem yno ymladdai'r ddau bropelor yn ddewr yn erbyn gwynt y gogledd i'n cario i'r ynys anghysbell hon am benwythnos. Er ein bod wedi canu droeon yn yr Alban ac wedi gweld cryn dipyn o yfed, nid oedd dim i'w gymharu â'r Shetland. Fel arfer byddem yn canu am dair sesiwn o dri chwarter awr gan orffen am un y bore ar y nos Sadwrn; 'run fath ar y nos Wener – pan gyrhaeddai ein hawyren mewn pryd! Yna, ar bnawn dydd Sul, byddai yna sesiwn o ganu a'r clwb yn eich cyflenwi â diod pe mynnech, ac wedi hynny byddem yn ôl yn canu am dair sesiwn arall gyda'r nos. Byddem yn hedfan adref ar fore Llun gan gymryd wythnos i ddod dros y penwythnos.

Fe ddychwelsom bum gwaith i Lerwick yn Ynys y Shetland gan gyfarfod â phobl ddiddorol iawn. Does dim coed ar yr ynys, mae'r môr yn wyrddlas ac mae'r merlod Shetland bach del i'w gweld ym mhobman yno. Dwi'n falch ein bod wedi cael y cyfle i weld yr ynys hon.

Un ynys yr oeddwn eisiau ymweld â hi ers i mi gael fy medyddio yn Iona oedd yr ynys o'r un enw. Cefais y cyfle yn y flwyddyn 2001. Ysgrifennais erthygl i'n papur bro *Y Ffynnon* am y daith. Felly dyma ein hanes:

### Taith i Ynys Iona yng nghwmni Iona ac Andy

Un bore braf, hirfelyn, tesog, a hithau ond yn ddechrau mis Mai, fe aeth 54 o Gymry i'r Alban am bum niwrnod. Pwrpas y daith? Wel, dod gyda fi, Iona – ac Andy, wrth gwrs – i weld Ynys Iona, sydd yn un o'r ynysoedd yng ngogledd-orllewin yr Alban, yn Ynysoedd Heledd, neu'r Hebrides. Ers i mi ddysgu fy mod wedi fy enwi ar ôl yr ynys hon, mae wedi bod yn freuddwyd gen i fynd yno, a pha ffordd well i wneud hynny na mynd â hanner cant o'n ffrindiau gyda ni – ia, ffrindiau oeddent i gyd erbyn y diwedd. Mae'n ugain mlynedd ers i Andy a minnau ganu am y tro cyntaf yn yr Alban ac rydym wastad wedi mwynhau'r golygfeydd a'r bobl, felly roeddem yn edrych ymlaen yn eiddgar at fynd yn ôl – ac wrth gwrs, cael mynd i Ynys Iona am y tro cyntaf.

Roedd gennym dîm da: cwmni bysus Berwyn o Drefor gyda Brian wrth y llyw, heb anghofio ei helpars, John Gareth a'r merched, Marina ac Al, oedd cystal â stiwardesi BA. Daeth George o Gwmni Teithiau Menai gyda ni i ofalu fod popeth yn mynd yn iawn, ac wrth gwrs roedd Andy a minnau'n hebrwng pawb o le i le.

Daeth criw o Sir Fôn, Llŷn, Dyffryn Ceiriog, Dyffryn Conwy, Corwen, Rhuthun, Llanelwy a'r Bala. Mae'n rhaid cael un cymeriad ar daith fel hon ac fe gawsom ein diddori gan ŵr o'r enw Trebs o'r Bala. Dwi'n cynghori fod pob taith yn cael un

Trebs, ac i chi wrandawyr Radio Cymru, mae ei lais i'w glywed yn rheolaidd ar y radio gan ei fod yn ffonio i mewn bron bob dydd am rywbeth!

Cawsom daith gyfforddus, ddidrafferth o Gymru i Gretna Green lle arhosom am un noson er mwyn torri'r siwrnai hir i Oban. Roedd yna bymtheg o briodasau wedi digwydd y diwrnod cynt ond wnaeth neb o'n criw ni ailbriodi yn hen weithdy'r Gof y tro hwn. Cawsom noson hwyliog yn gwrando ar ffrindiau'n canu mewn gwesty yn Dumfries a bu'n gyfle i bawb ymlacio a dod i adnabod ei gilydd.

Ar ôl noson dda o gwsg a brecwast gwerth chweil, gyrrodd Brian y bws cyfforddus yn ofalus i fyny heibio Glasgow at Loch Lomond gyda'r haul yn disgleirio ar ddŵr y llyn a'r tymheredd yn codi i'r saithdegau; bu raid rhoi'r system aer oer ymlaen ar y bws. Roeddwn i erbyn hyn yn difaru pacio'r siwmperi, y gôt law a'r ymbarél! Pwy fasa' wedi meddwl y byddai'r tywydd mor boeth a sych fel hyn yr adeg hon o'r flwyddyn yn yr Alban? Roedd yn dda cael hufen iâ yn Balloch gyda phawb yn anadlu awyr iach Loch Lomond. Wrth i'r bws fynd yn araf ar hyd y loch (sy'n filltiroedd o hyd) roedd pawb yn mwynhau'r golygfeydd ac yn gweld tebygrwydd i Gymru – ond bod yna lawer mwy ohono. Am bedwar o'r gloch cyrhaeddsom Oban, sef tref fach glan-môr Fictoraidd gyda harbwr tebyg i Gonwy, ac o'r fan hon gallwch gael llong i Ynysoedd Heledd. Mae gan Oban ddigon i'w gynnig i ymwelwyr; mae yno siopau bach diddorol a gwahanol i'r rhai a gawn mewn trefi eraill drwy'r wlad; mae yno ddistyllu wisgi, llefydd bwyta da, yn enwedig bwyd môr, ac mae yno dŵr mawr crwn uwchben y dref a godwyd er cof am John Stuart McCraig oedd yn fancar Fictoraidd dyngarol. Wrth gwrs, mae gweld yr ynysoedd o fewn tafliad carreg yn rhoi rhyw deimlad arbennig, teimlad Celtaidd i chi. Mae fel magned yn denu ymwelwyr o bedwar ban byd, heb sôn am ymwelwyr o ogledd Cymru.

Treuliwyd y noson yn gwledda'n fras ac fe ganodd Andy a minnau yng nghwmni Darren Busby, gyda'n criw yn dawnsio ac yn ymuno yn yr hwyl. Canwyd 'Hen Wlad fy Nhadau' a dyna ddiwedd ar ddiwrnod da arall.

Deffro drannoeth a'r haul yn disgleirio, a chyda phawb mewn

hwyliau da treuliwyd y bore'n hamddena o gwmpas Oban cyn dal y bws i fynd i Fort William a Glen Coe. Gwelsom Ben Nevis, y mynydd uchaf ym Mhrydain, wrth yrru am Fort William, ac er i rai o'n criw amau a oedd mor uchel â'r Wyddfa, mae'r ystadegau'n profi hynny – felly pwy ydan ni i'w hamau! Treuliwyd cwpwl o oriau o amgylch Fort William yn siopa – eto? meddech chi; o! oes, mae'n rhaid cael tipyn o *retail therapy* ar daith Iona ac Andy! Yn ôl ar y bws ac i ffwrdd â ni i Glen Coe gydag Andy'n rhoi cefndir y lle ar ffeicroffon y bws.

Yn 1691 gorchmynnodd y Brenin William fod pawb yn tyngu llw o ffyddlondeb iddo ef, neu wynebu'r canlyniad a chael ei alw'n herwr. Yn anffodus roedd pennaeth y Clan MacDonald yn hwyr yn gwneud, gan ei fod yn hen ŵr – ond meddyliai fod ganddo ddigon o amser. Ni wyddai beth oedd yn ei ddisgwyl pan ddaeth y Clan Campbell i Ddyffryn Coe. Dod yno ar orchymyn yr hen William a wnaethant, gan aros gyda'r MacDonalds a roddodd groeso iddynt yn eu cartrefi, eu bwydo a rhoi gwely dros sawl noson iddynt. Ond un noson gorchmynnodd Campbell i'w ddynion ladd pob un o'r MacDonalds yn eu gwelyau. Lladdwyd 38, gan gynnwys yr hen ŵr a'i wraig, a bu farw hefyd y rhai a ddihangodd i'r mynyddoedd oherwydd yr oerfel a diffyg bwyd. Mae yno ryw ias oer yn y dyffryn, a gwae chi enwi'r Campbells yn Glen Coe hyd heddiw! Mae 'na gân gan ddeuawd enwog o'r Alban, y Corries, o'r enw 'The Massacre of Glen Coe', yn adrodd y stori, ac fe wrandawodd pawb ar y gân wrth inni fynd drwy'r dyffryn.

A dyna ddiwedd diwrnod arall; noson gynnar amdani gan mai'r diwrnod y disgwyliais 45 o flynyddoedd amdano oedd i ddod fore trannoeth.

Methais â chysgu llawer gan deimlo fel hogan fach yn aros am Siôn Corn! Credwch neu beidio, fe agorais y llenni ar yr awyr lasa a welais erioed. Daeth llong fawr cwmni Caledonian MacBrayne i'r harbwr a cherddodd pawb arni wrth i fws Berwyn fynd i'w bol. Cawsom sedd dda allan ar ddec uchaf y llong, er mwyn gweld y golygfeydd a'r holl ynysoedd bach o amgylch Mull. Roedd y llong yn orlawn gydag ymwelwyr o bob rhan o'r byd, ond roedd yn glir pa iaith oedd yn cael ei siarad yn uwch na'r un arall! Gofynnodd amryw un i ni o ble y deuem ac mae'n anhygoel meddwl cyn lleied sy'n gwybod am Gymru, heb sôn am wybod fod gennym ein hiaith ein hunain. Glaniodd y llong yn Craignure ar Mull ar ôl 45 munud o awyr iach a golygfeydd bendigedig. Yna dyna ni 'nôl ar ein bws gydag un wyneb newydd yn ymuno â ni ar ein taith. Er syndod i bawb, a chyda diolch i Brian Japheth o gwmni bysys Berwyn, daeth Margaret Williams, sef chwaer Edward Elias, prifathro ysgol Chwilog, ar ein bws er mwyn ein tywys drwy ynys Mull. Mae hi wedi gadael Cymru ers 30 mlynedd ac wedi byw yn Shetland, ond erbyn hyn mae'n byw ar fferm yn Mull. Bu grŵp o Ferched y Wawr o ben Llŷn yn aros gyda hi'n ddiweddar, meddai, ac roedd yn falch o'n gweld ninnau hefyd. Bu ar raglen Dai Jones yn ddiweddar, yn sôn am yr ynys, felly pwy'n well na Margaret i'n hebrwng ar ein taith tuag Ynys Iona? Ffordd hir a chul sydd ar yr ynys, trwy ddau fath gwahanol o dirwedd: y rhan gyntaf yn fynyddig a'r ychydig filltiroedd i Fionnphort yn wyrdd a throellog. Bu bron iawn i'r bws fethu â chroesi pont fach, ond gyda gweddi a chroesi bysedd fe aethom drosodd, diolch byth – er fy mod yn ddigon parod i gerdded o'r fan honno os oedd raid! Cawsom straeon diddorol am yr ynys a'i phobl gan Margaret, ond dim ond un ynys oedd ar fy meddwl i erbyn hyn – a dyna i chi deimlad bythgofiadwy pan sylweddolais fod y lle yr oeddwn ond wedi darllen a gweld lluniau ohoni yma rŵan yn fy wynebu, gan fy hudo'n syth, a pheri colli dagrau. Rwy'n berson emosiynol iawn a phan welais Ynys Iona am y tro cyntaf aeth fy meddwl yn ôl i ddyddiau fy mhlentyndod pan ddywedodd fy nhad wrthyf: 'Rwyt ti wedi cael dy enwi ar ôl ynys yn yr Alban ac mae'n rhaid i ti fynd yno rywbryd os medri.' Bu farw Dad 16 o flynyddoedd yn ôl ac ni welodd ef fy ynys i. Buasai wedi bod yn ben-blwydd yn 80 arno ar yr union ddiwrnod y rhois fy nhroed ar y tir sanctaidd. Roedd fy nhad yn ddyn ysbrydol a chrefyddol iawn – yn bregethwr cynorthwyol, yn flaenor, yn ysgrifennydd capel Baladeulyn ac yn golofnydd i'r *Herald* a'r *Goleuad,* ond bu salwch yn drech nag ef, felly gallwch ddeall sut y teimlais o weld lle mor berffaith; rhyw gymysgedd o emosiwn gan deimlo heddwch ac ysbrydolrwydd arbennig iawn.

Croesawyd fi, o bawb, gan gapten y llong fach sy'n eich tywys i'r ynys, ac fe deimlwn fel Moses, gyda 54 o Gymry'n fy nilyn oddi ar y llong i dir sanctaidd Iona. Y peth cyntaf sy'n eich taro yw'r teimlad ysbrydol a thawel sydd yno ac, wrth gwrs, mae yno sawl lle o'r enw Iona Cottage, Iona Bookshop, Iona Tearoom – ac mae hyd yn oed chwisgi Iona i'w flasu! Ond yr adeilad sydd fwyaf amlwg yw'r abaty a sefydlwyd yn y ddeuddegfed ganrif, ac wedi ei chyflwyno i Sant Columba a ddaeth yno o Iwerddon yn 563 OC. Mae'r lle wedi bod yn bwysig iawn yn hanes Cristnogaeth gan i filoedd o bererinion fynd yno dros y canrifoedd ac mae sôn bod dros hanner cant o frenhinoedd wedi eu claddu yno. Dyma un o'r rhesymau pam y'i gelwir yn chwaer i Ynys Enlli. Peth arall sy'n eich taro yw lliw eurgoch y garreg a ddefnyddiwyd i adeiladu'r abaty; roedd y lliw hwn ar bopeth a welais ar yr ynys – fel petai Duw'n gwenu arnom drwy'r prynhawn. Ar ôl ymweld â'r abaty a'r lleiandy, roedd yn rhaid chwilio am fedd John Smith, cyn-arweinydd y Blaid Lafur, a gladdwyd yno, a daethom o hyd iddo mewn man di-sylw; hen garreg fel petai'n gorffwyso fel yntau ar ôl y gwaith a wnaeth, a'r unig beth sydd arni yw ei enw ef wedi ei naddu, ac un rhosyn coch yn gorwedd yn dawel ar y garreg. Ys gwn i faint o arweinyddion eraill sydd â choffâd mor syml ac unigryw â'r garreg hon? Ond nid oedd hanner digon o amser i wneud popeth a bydd yn rhaid dychwelyd rywbryd eto er mwyn mynd o amgylch yr ynys. Gwibiais o siop i siop gan brynu ambell beth i gofio am ein hymweliad. Yn sicr, dyma un ynys yr af yn ôl iddi i arogli'r aer melys a theimlo'r awyrgylch arbennig, a chael mwy o amser i fyfyrio yn yr abaty; ond am y tro, rhaid bodloni ar gael blasu'r lle bendigedig, digon i mi fod angen mwy o'i flas, beth bynnag. Daeth y llong fechan i draeth gwyn Porth Ronain i'n tywys yn ôl i Mull gyda phawb yn unfryd eu bod wedi teimlo rhyw heddwch yno y prynhawn hwnnw. Bydd yn rhaid dychwelyd yn fuan!

Yn ôl ar y llong a gwibio ar draws Mull rhag ofn colli'r llong yn ôl i Oban. Dyna ddweud ffarwél wrth Margaret gyda thipyn o eiddigedd ei bod hi'n cael aros yno. Cawsom siwrnai dda yn ôl i Oban ac roedd canu i'n cyfeillion yn ein gwesty yn bleser y noson honno. Cawsom bibydd Albanaidd i ganu tôn i ni a dyna i chi brofiad na wnawn ei anghofio'n fuan oedd ymuno ag ef i ganu 'Pererin Wyf'. Cafwyd hwyl a sbri gydag Elsie ac Olwen yn rhoi lleisiau cefndir i Andy a Darren, tra bu'n rhaid i Twm Fflag, Elsie a Darren ymuno â Gwyneth i ddawnsio gwerin – mae'n amheus a fydden nhw wedi cael llwyfan yn yr Eisteddfod! Doedd y gwesty erioed wedi clywed y fath ganu, medden nhw, pan gododd y criw i gyd i ganu 'Hen Wlad fy Nhadau' y noson honno.

Daeth bore trannoeth lawer yn rhy fuan a rhaid oedd ffarwelio â'r Alban. Teithiodd y bws yn ôl hyd lannau Loch Lomond unwaith eto gyda'r haul yn tywynnu arnom a buan yr arhosodd yn Gretna er mwyn i ni gael ymestyn y coesau a mynd o amgylch y siopau. Yna 'nôl ar y draffordd brysur â ni, a phawb mewn hwyliau da wedi mwynhau eu gwyliau. Cawsom ein difyrru ar y bws gan jôcs George a'n cadwodd ni i gyd yn effro ar hyd y ffordd. Roedd llawer un heb fod yn yr Alban o'r blaen a hefyd yn ddiarth i'w gilydd ond ar ddiwedd y chwe niwrnod fe ddaeth pawb yn ffrindiau. Rhaid oedd cofleidio 54 o bobl arbennig a roddodd gymaint o bleser i Andy a minnau o fod yn eu cwmni. Rhaid diolch i bob un am eu caredigrwydd yn prynu anrheg i ni i gofio'r daith i Ynys Iona, sef baromedr hardd sydd ar y wal yma yn Chwilog. Ni allwn fod wedi dewis gwell cwmni i rannu'r daith ac i arogli aer fy ynys i am y tro cyntaf!

Edrychwn ymlaen at y daith nesaf! Gyda diolch i gwmni Bysys Berwyn a'n cludodd ni mor ddiogel, George o Deithiau Menai ac i bawb arall, dyma weddi o'r Aeleg a godais oddi ar gerdyn ar yr ynys, gan ddymuno hyn i bawb sy'n ei darllen:

Heddwch dwfn o ddŵr y môr i ti,
Heddwch dwfn o lif yr aer i ti,
Heddwch dwfn o'r ddaear ddistaw i ti,
Heddwch dwfn o'r disglair sêr i ti,
Heddwch dwfn Fab Heddwch i ti.

# Gŵyl Ymhell ac Agos

Ar ddechrau'r wythdegau roedd yna lu o wyliau canu gwlad o amgylch Prydain a byddem yn ymddangos mewn nifer fawr ohonynt. Soniais eisoes am yr ŵyl yng ngwersyllau Pontins, rhai Tony Best, y rhai yn Wembley a Peterborough lle byddem yn rhannu llwyfan â sêr o wledydd tramor, gan gynnwys rhai o America.

Er bod y rhan fwyaf o'r rhain yn llwyddiannus ac yn cael eu trefnu'n broffesiynol iawn roedd yna rai trefnwyr diegwyddor. Byddai'r bobl hyn yn dod o hyd i gae a chodi tent fawr a rhoi trydan ynddi a llogi un toiled i gannoedd o bobl gan obeithio y byddai cynulleidfaoedd yn heidio yno. Ond byddai nifer o'r trefnwyr hyn yn rhy uchelgeisiol ac yn mynd ati i wahodd gormod o artistiaid oedd yn costio llawer o arian iddynt, ond heb fynd ati wedyn i hysbysebu'r ŵyl yn ddigonol, gyda'r canlyniad y byddent yn canslo'r holl ddigwyddiad ar y funud olaf ac yn ei g'leuo hi o'r wlad a neb yn gwybod lle bydden nhw. Cawsom sieciau a fownsiodd ambell waith, ond ddim yn aml diolch byth. Un tro fe aethom yr holl ffordd i Luton i ganu mewn parti penblwydd a oedd i'w gynnal yn y clwb pêl-droed yno. Ar ôl cyrraedd y clwb nid oedd neb yn gwybod pwy oedd y dyn! Wrth lwc, roedd gennym ei gyfeiriad ac wedi mynd yno dywedodd yntau ei fod wedi anghofio ei fod wedi'n bwcio! Talodd i ni yn y fan a'r lle ac adref â ni yr un diwrnod – taith o bedwar can milltir!

Cynhelid y gwyliau canu gwlad hyn mewn llefydd gwahanol a byddent hefyd yn wahanol eu ffurf. Byddai rhai mewn gwestai mawr fel y Norbreck Castle yn Blackpool a rhai mewn parc carafannau o Ddyfnaint i Norfolk. Ar ddiwedd sioe caem aros weithiau mewn carafán ac os byddem yn lwcus iawn caem ddillad gwely hefyd ond ddim bob tro. Byddai bob amser yn tywallt y glaw a hynny'n ei gwneud hi'n amhosib cysgu gan fod sŵn y dŵr fel rhywun yn gollwng paced o bwdin reis heb ei goginio ar eich pen drwy'r nos. Fel y gwelwch, nid ydym yn hoff o garafannau!

Mae yna, wrth gwrs, y gwyliau canu gwlad yn yr awyr agored ac o gofio nad ydym yn sicr o gael haul ym misoedd yr haf yn ein gwlad, byddech yn meddwl na fyddai neb mor wirion â chynnal gŵyl tu allan o gwbl. Ond na, mae yna ugeiniau yn cael eu cynnal haf ar ôl haf. Rydym wedi canu i bobl yn swatio yn eu cadeiriau haul o dan ambaréls a chotiau glaw, yn gwrando arnom ni yn canu o dan ryw fath o orchudd wrth sefyll ar ben trelars mawr. Digwyddodd hyn hyd yn oed yn yr Iseldiroedd mewn gŵyl o'r enw Floralia; welson ni'r un blodeuyn oherwydd y glaw! Yr ŵyl wlypaf y buom ynddi oedd yn Skipton yn Swydd Efrog; bu'n glawio am bedwar diwrnod ar benwythnos gŵyl y banc, Awst 1996. Erbyn i ni gyrraedd yno roedd y cae fel petai Cymru wedi bod yn chwarae rygbi yno ac roedd tractor yn tynnu'r ceir o'r maes parcio gan eu bod wedi bod yn sownd yn y mwd ers deuddydd. Ni fedrem fynd â'n fan gyda'n gitârs yn agos at y babell, felly bu raid cario'r gêr drwy'r mwd yn ein welingtons gyda chymorth fy chwaer Sioned a oedd wedi dod gyda ni am y tro cyntaf (a'r tro olaf) i ŵyl canu gwlad. Fe ganom yn ein welingtons gyda'r glaw yn tywallt i lawr ochr y babell a'r bobl yn dal i wrando ar y canu; sôn am ysbryd Dunkirk wir. Sylweddolsom y penwythnos hwnnw fod pobl sy'n dilyn canu gwlad yn bobl arbennig iawn.

Ond glaw neu beidio, rydem wrth ein bodd yn cael paned gyda ffrind yn eu carafán ar faes gŵyl canu gwlad ac rydym wedi gwneud ffrindiau da dros y blynyddoedd. Gwelem yr un bobl yn y gwyliau canu gwlad a daeth yn anodd gwrthod paned a brechdan rhag pechu nes ein bod, un tro, wedi cael tua hanner dwsin ohonynt cyn mynd ymlaen i ganu ar y llwyfan.

A phan fyddai'r haul yn tywynnu ar benwythnos gŵyl doedd dim teimlad gwell na chanu i gannoedd yn eu siorts a'u sbectol haul. Byddai'r haul bob amser yn gwenu yn Walesby yn Swydd Nottingham, ac un tro roeddem yn rhy boeth gan ei gwneud hi'n anodd cadw'r gitâr mewn tiwn. Cafwyd awyrgylch arbennig iawn yn Poole, Dorset, un bore braf gyda'r tymheredd yn cyrraedd yr wythdegau a phawb mewn hwyliau da. Byddem yn cyrraedd ben bore i ganu yn yr awyr agored yn yr ŵyl hon a byddem wrth ein bodd bob amser yn gweld Dave a Pat Street a oedd yn rhedeg yr ŵyl. Byddai gan Dave wên bob amser ac roedd wrth ei fodd gyda ni'n canu yn y Gymraeg, yn enwedig yn canu rhai emynau ar fore Sul yr ŵyl. Cawsom sioc aruthrol pan fu farw Dave yn sydyn yn 2004 yn 64 oed. Bydd colled fawr ar ei ôl yn y byd canu gwlad.

Nid yn yr awyr agored yn unig oedd y gwyliau hyn. Roedd yna ŵyl dda iawn yn Dumfries yn yr Alban lle cynhelid yr achlysur mewn hen adeilad ysbyty. Un o'r goreuon yn yr wythdegau oedd ym Mhafiliwn Worthing ar arfordir deheuol Lloegr ger Brighton, ac roedd hon yn ŵyl oedd yn cael ei rhedeg yn broffesiynol yn y theatr gyda system sain yno'n barod i ni – moethusrwydd yn wir. Neil Coppendale, y cyflwynydd radio, oedd yn trefnu hon, a'i weledigaeth ef oedd codi proffeil canu gwlad ac fe lwyddodd un flwyddyn i gael cwmni teledu Meridian i recordio'r ŵyl. Roeddem ni'n lwcus iawn o gael bod yno pan recordiwyd y penwythnos, ac fe'i darlledwyd ledled Lloegr. Ni wnaf fyth anghofio cyrraedd y pafiliwn gyda'n henwau mewn goleuadau uwchben y fynedfa; roeddem ni wedi cyrraedd o'r diwedd! Rhedai Neil glwb canu gwlad yn Brighton ac fe enillom wobr am y ddeuawd canu gwlad orau yno un flwyddyn – pleidlais gan aelodau'r clwb am eu hoff berfformwyr. Rydym wedi derbyn nifer fawr o wobrau dros y blynyddoedd ac mae'n deimlad braf edrych yn ôl arnynt.

Bu canu a chael cyfweliad ar y teledu o'r ŵyl yn Worthing yn brofiad da i ni ond roedd hwn yn brofiad llawer mwy cynhyrfus i'r cantorion eraill. Rydym yn lwcus iawn yma yng Nghymru o gael ymddangos ar S4C ac ni ddylai unrhyw ganwr Cymraeg byth gymryd yr un rhaglen yn ganiataol. Nid yw artistiaid canu gwlad o Loegr yn cael yr un cyfle â ni yma yng Nghymru o gael ymddangos ar deledu ac mae'n anodd iawn iddynt ennill bywoliaeth yn canu caneuon gwreiddiol gan fod cynulleidfaoedd am glywed caneuon poblogaidd. Oherwydd hyn bydd nifer fawr ohonynt yn gorfod efelychu eu harwyr ac weithiau dyna'r unig ffordd o ymddangos ar deledu ym Mhrydain gan ymddangos ar *Stars In Their Eyes* a dynwared Patsy Cline neu Johnny Cash. Yn anffodus, mae nifer o theatrau'n rhoi llwyfan i fandiau dynwared a dwi'n casáu'r rhain.

Wrth lwc, yn ddiweddar mae'r BBC wedi dechrau cymryd canu gwlad o ddifri ar deledu a radio gan ddarlledu dwy raglen ar Radio 2, sef Nick Barraclough ar nos Fercher a Bob Harris ar nos Iau. Cafwyd rhaglen wych o'r enw *Lost Highway* oedd yn dilyn hanes canu gwlad gan ei drin â pharch. Yn anffodus nid yw'r cyfryngau i gyd yn gwneud hyn; maent bob amser yn canolbwyntio ar bobl yn gwisgo dillad cowbois ac ar ddawnsio llinell gan roi nemor ddim sylw i'r gerddoriaeth ei hun. Digwydd hyn yn ein gŵyl yn Llandudno bob blwyddyn pan welwn ddarn mewn papur newydd neu ar y newyddion ar y teledu. Mae'n ein gwneud yn gandryll gan ei fod yn rhoi gwedd hollol anghywir i'r gerddoriaeth. Oes, mae yna bobl yn gwisgo dillad cowbois ond cyfran fach iawn yw y rhain ac, yn anffodus, rhoi yr argraff anghywir i rai pobl gan olygu nad ydynt am ddod i'n gweld yn canu. Unwaith eto mae Cymru'n rhoi gwell cyfle na Lloegr i ganu gwlad ar y teledu a'r radio ond mae'r rhaglenni hyn yn lleihau bob blwyddyn. Yn anffodus, y ddelwedd sy'n bwysig ar y teledu bellach ac ychydig iawn a welwn ar berfformwyr yn canu â gitâr neu biano. Eithriad wrth gwrs yw Meinir Gwilym sydd wedi cydio yn nychymyg y genedl; i mi, Nancy Griffiths Cymru yw hi. A dyna i chi Cerys Mathews â'i geiriau enwog, 'Every day when I wake up I thank the Lord I'm Welsh'; mae hi bellach yn byw yn Nashville ac wedi recordio albwm o ganu gwlad erbyn hyn. Mae pawb yn cael gweledigaeth yn y diwedd!

Roedd yr holl deithio ymhell o gartref yn flinedig iawn. Gwaethygu wnâi'r ffyrdd gyda thagfeydd ar bob traffordd a chost y petrol yn mynd yn uwch heb sôn am gost llefydd i aros, fel Travelodges, yn codi o flwyddyn i flwyddyn. Felly, roedd yn rhaid meddwl am ryw syniad newydd yn ein gyrfa. Y tro hwn yr hyn oedd gennym mewn golwg oedd dod â'r bobl atom ni i Gymru yn lle ein bod ni'n teithio cannoedd o filltiroedd atyn nhw.

Gan fod yna filoedd o ymwelwyr yn ymweld â Llandudno bob haf pa le gwell i gynnal noson nag yn Llandudno? Daethom ar draws hen gapel a oedd yn cael ei ddefnyddio fel man adloniant yn Stryd Lloyd gyda llwyfan a goleuadau gwych, ac felly dyma logi'r capel unwaith yr wythnos. Sôn am sioe un dyn! Byddai ein dwy fam yn eistedd wrth y drws i werthu tocynnau a byddai Andy yn ein cyflwyno o'r tu ôl i'r llenni gan ddweud rhywbeth gwych amdanom – doedd neb yn gwybod mai ef oedd y llais. Byddai Andy wedyn yn agor y llenni ac ar ôl tri chwarter awr byddem yn mynd allan i'r gynulleidfa i werthu ein casetiau cyn mynd yn ôl i ganu am dri chwarter awr arall, cyn dweud ffarwél wrth bawb wrth y drws, pacio ein gêr ac adref â ni! Byddem wedi blino'n lân ar ôl y noson hon ond byddai'r noson yn wych i ni o ran boddhad cerddorol roedd acwstig y capel yn fendigedig i ni berfformio ynddo ac wrth gwrs roedd yn llawn bob wythnos. Buom yma am dair blynedd yn canu i'r ymwelwyr ond yn anffodus gwerthodd y perchennog yr adeilad i Efengylwyr Cristnogol a gododd bris llogi'r capel yn uchel iawn, felly dyna ddiwedd ar dri haf braf iawn yn Llandudno.

Yr union amser hwn roedd pawb yn sôn am y theatr newydd oedd yn cael ei hadeiladu yn Llandudno drws nesaf i'r hen Arcadia. Ysgrifennodd Andy at nifer o theatrau yng Nghymru i gynnig sioe haf a'r unig un atebodd oedd rheolwraig theatr Llandudno, sef Bridget Jones. Yn y cyfarfod fe awgrymodd ein bod yn cynnal ein sioe yn y neuadd fawr yno ac i ni ystyried y syniad o gael gŵyl canu gwlad yn y theatr newydd pan agorai honno'r flwyddyn ganlynol.

Gan ein bod wedi canu mewn nifer o wyliau canu gwlad dros y blynyddoedd – boed dda neu ddrwg – byddai cael trefnu un ein hunain yn llawer gwell gan roi'r cyfle i ni redeg gŵyl Canu Gwlad fel y dylai fod. A dyna ddechrau ar ein partneriaeth â Theatr Gogledd Cymru yn 1995 ac mae'n dda gen i ddweud i'r ddegfed ŵyl gael ei chynnal yn y flwyddyn 2004, blwyddyn ein chwarter canrif ni o ganu.

Dros y blynyddoedd rydym wedi cyflwyno artistiaid o bob rhan o'r byd yn yr Ŵyl Canu Gwlad hon yn Llandudno. Un rhan o'r ŵyl yw'r dawnsio yn y neuadd drws nesaf i'r theatr gyda throellwr a bandiau'n canu caneuon ar gyfer y dawnswyr. Ar yr un pryd, trawsnewidir yr Ocean Lounge i fod yn Bar Ben i roi cyfle i ganwyr-gyfansoddwyr ganu i gynulleidfa sy'n gwrando'n unig. Galwyd y bar ar ôl y canwr Ben Rees a edrychai fel Kenny Rogers ond a ganai gyda llais unigryw, sydd yn fwy fel adrodd na chanu erbyn hyn gan ei fod wedi ysmygu ac yfed gormod o chwisgi dros y blynyddoedd. Mae pawb yn ei adnabod fel 'Gŵr Bonheddig y Canu Gwlad'; mae pawb yn caru Ben ac felly ef sy'n arwain y prynhawniau yn y bar yma.

Y drydedd ran i'r ŵyl yw'r theatr ei hun lle y cynhelir y cyngherddau gyda'r nos. Rhydd hyn gyfle i artistiaid berfformio ar lwyfan mawr gyda goleuadau proffesiynol, system sain wych, ystafell i newid a chynulleidfa sy'n gwerthfawrogi'r hyn a glywant. Dywedodd Kenny Johnson, canwr o Lerpwl, ar lwyfan yr ŵyl unwaith:

'Gwrandewch ar hyn,' meddai.

'Allaf i ddim clywed dim,' atebodd aelod o'r band.

'Na, mi wn i, tydi o'n wych,' meddai Kenny.

Cawsom gyfle i ganu bob blwyddyn yn y theatr gyda band, rhywbeth nad yw'n digwydd yn aml. 'Band yr Ŵyl' oedd yr enw a roddwyd iddo; Tudur Morgan, Charlie Britton, Iain Bradshawe a Geoff Betsworth yw'r band yma, cerddorion gwych. Hefyd byddwn yn arwain y sioeau yn y theatr bob nos; dyma'r tro cyntaf i ni arwain ac rydym yn mwynhau gwneud hyn. Gwnawn yn siŵr ein bod yn rhoi cyflwyniad da i'r artist, rhywbeth na ddigwydd ym mhobman. Dyma sut y cawsom ni ein cyflwyno unwaith yn swydd Nottingham, 'Here they are all the way from Wales, Ivanhoe and Wendy.' Er nad ydym yn dweud jôcs, mae llenwi amser yn dod yn rhwydd i'r ddau ohonom gan y byddwn yn sgwrsio â'r gynulleidfa gan sôn am yr hyn sydd wedi digwydd i ni yn ystod y flwyddyn ac weithiau byddwn yn canu'n ddigyfeiliant os nad yw'r artist yn barod. Digwyddodd hyn ddwy flynedd yn olynol pan gymerodd Mary Duff o Iwerddon a Sarah Jory ugain munud i baratoi! Un flwyddyn rhoddodd y byd-enwog Peter Rowan ganmoliaeth i ni gan ddweud ein bod yn arwain yn hamddenol braf, fel petaem yn gwahodd 1,500 o bobl i'n cartref. Parchwn hyn yn fawr gan ddyn sydd wedi bod ar nifer fawr o lwyfannau ar draws y byd.

Yn y flwyddyn gyntaf roedd yna broblemau gwresogi'r theatr a chan fod yna wynt a glaw mawr ar y promenâd yn Llandudno roedd pawb yn gwisgo eu cotiau ac yn cwyno, ond wrth gwrs erbyn yr ail flwyddyn roedd y gwresogydd yn gweithio'n iawn, a daeth pawb yn ôl er gwaetha'r oerni gan eu bod wedi mwynhau'r holl adloniant.

Mae wedi bod yn fraint cael cyflwyno'r artistiaid ar hyd y deng mlynedd diwethaf. Ond oherwydd mai ni sydd yn rhedeg y penwythnos mae rhai pobl yn meddwl mai ni sydd yn gyfrifol am *bopeth*, o ofalu fod yna ddigon o gadeiriau yn y bar i'r tymheredd yn y theatr, ac os nad yw canwr yn plesio rhai pobl, ein bai ni fydd hynny hefyd!

Yn ystod y deng mlynedd o gynnal yr Ŵyl Canu Gwlad hon unwaith y flwyddyn yn Theatr Gogledd Cymru yn Llandudno, mae goreuon yr artistiaid canu gwlad ym Mhrydain wedi canu ar y llwyfan. Cawsom Charlie Landsborough fel unawdydd yn y flwyddyn gyntaf, ac ymhen blynyddoedd roedd yn seren gyda'i fand yn cloi'r ŵyl. Bu Joe Brown yno, gan berfformio caneuon gwlad yn wych. Cawsom y grŵp Colorado o ogledd yr Alban; yr Haleys – sef y chwiorydd sydd yn canu fel angylion; yr enwog Raymond Froggatt yn ogystal â'r unigryw Sarah Jory. Mae cael amrywiaeth o artistiaid yn bwysig ac felly cawsom fandiau Tir Glas y Down County Boys a'r Acme Band; cerddoriaeth draddodiadol gan y Rimshots a'r Smokey Mountain Boys a hefyd roc canu gwlad gan Union Jack a'n band gwych o Sir Fôn, Mojo. Daeth y Gwyddelod drosodd: Mary Duff, Eamon McCann a Pat McCool a hefyd byddwn bob blwyddyn yn hoffi cael un artist anarferol sy'n gwneud i'r gynulleidfa feddwl ychydig. Un flwyddyn cawsom ddau ffrind o'r enw Tequila Sisters; dau ddyn oedd y rhain gyda'r naill yn chwarae'r delyn a'r llall y gitâr acwstig. Roedd ymateb y gynulleidfa'n wych i'r ddau hyn. Yna fe ddaeth yr Americanwyr. Er nad oedd y cyllid yn ymestyn i dalu am Dolly Parton fe gawsom artistiaid fel Chip Taylor a ysgrifennodd y gân 'Wild Thing' (Rolling Stones) ac 'Angel of the Morning'; Gretchen Peters, cyfansoddwraig fwyaf llwyddiannus y deng mlynedd diwethaf; Peter Rowan, un o sefydlwyr Bluegrass; BR549, band ifanc newydd o Nashville; Catherine Craig, cantores a chyfansoddwraig hyfryd o Nashville ac un sydd wedi bod yma deirgwaith, ac yna'n ffrind Gail Davies, seren y *Grand Ole Opry*. Mae Gail wedi ysgrifennu dwsinau o ganeuon ac wedi cael ei recordiau yn neg uchaf y siartiau canu gwlad yn America. Hi yw'r unig ferch i gynhyrchu albwm yn Nashville ac mae wedi bod yn ddylanwad mawr ar nifer o artistiaid yno.

Edrychwn yn ôl ar y deng mlynedd gyda balchder i feddwl ein bod ni wedi medru cael cantorion o bob rhan o'r byd i ddod i ganu ar lwyfan Theatr Gogledd Cymru. Pan fydd y llenni'n codi ar y llwyfan am hanner awr wedi saith ar nos Wener gyntaf yr ŵyl bydd yr adrenalin yn llifo, ac erbyn y gân olaf ar y nos Sul byddwn wedi llwyr ymlâdd, ond mae'r holl waith yn werth bob eiliad.

Erbyn 1997 roedd yr Ŵyl Canu Gwlad yn Llandudno yn llwyddiannus iawn. Cyn yr ŵyl hon ceid noson o ganu gwlad gan artistiaid a oedd yn recordio gyda chwmni Sain, sef y noson 'Gwlad i Mi'. Mae'r noson hon yn dal i fod yn llwyddiannus tu hwnt gyda phob tocyn yn cael ei werthu bob blwyddyn, a phob artist yn ysu am gael bod yn rhan ohoni gan fod yna awyrgylch anhygoel o drydanol yn yr awditoriwm. Does dim byd gwell na phymtheg cant o Gymry'n rhoi cymeradwyaeth i chi ac yn gweiddi am fwy o ganu. Yn sicr cadarnha noson Sain yn Llandudno boblogrwydd canu gwlad Cymraeg ac mae'r diolch i Gwmni Sain am hyrwyddo artistiaid fel Dylan a Neil, Broc Môr, Doreen Lewis ac, wrth gwrs, John ac Alun. Mae'r artistiaid hyn hefyd yr un mor brysur â ni yn teithio o'r gogledd i lawr i'r de bob penwythnos ac mae ganddynt ddilynwyr selog.

Ambell dro, bu inni hefyd drefnu pecyn llety ar gyfer penwythnos yr ŵyl i ymwelwyr, a hynny yn yr un gwesty ag y byddai'r artistiaid fu'n perfformio yn aros ynddo a byddent yn aml yn canu yno i'r gwesteion. Byddai'r sesiynau hyn yn mynd ymlaen tan tua dau o'r gloch y bore gyda phawb yn dal i weiddi am fwy. Roedd yn anhygoel cael artistiaid byd-enwog fel Gail Davies, Chip Taylor, Gretchen Peters ac, wrth gwrs, y bandiau o Brydain a oedd wedi ymddangos ar lwyfan y theatr, yn canu am hanner nos yn awyrgylch hollol wahanol bar y gwesty yn Llandudno. Bu raid i ni orffen y pecyn penwythnos yn y gwesty am fod y sesiynau hwyr yn ormod yn gorfforol i ni'n dau. Mae'n biti fod y corff yn mynd yn hŷn er bod y meddwl yn dal yn ifanc.

Oherwydd fod cynifer o bobl wedi mwynhau penwythnosau'r

ŵyl, ac yn enwedig wedi mwynhau aros mewn gwesty, gofynnodd rhai o'r gwestai i ni gynnal penwythnos o ganu gwlad yn eu gwestai. Dyma sut y dechreuwyd trefnu penwythnosau canu gwlad, gan ddechrau yn y Clarence, Llandudno, ddeng mlynedd yn ôl ar achlysur pen-blwydd Andy yn 50 oed. Un o'r artistiaid a ddaeth i ganu y penwythnos cyntaf hwnnw oedd Charlie Landsborough, sydd erbyn hyn yn fyd-enwog, ond ar y pryd dim ond canu'n rhan-amser oedd Charlie gan mai athro ym Mhenbedw ydoedd. Roedd ei ffi yn isel iawn i gymharu â'r hyn a dderbynia heddiw, felly roeddem yn lwcus iawn o'i gael i ganu nid yn unig ar achlysur y pen-blwydd ond hefyd yn yr Ŵyl Canu Gwlad.

Ar gyfer y penwythnosau hyn mae'r gwesteion yn cyrraedd ar nos Wener gan gael cinio gyda'r nos a chyngerdd i ddilyn. Hefyd yn y pecyn mae brecwast fore Sadwrn, cinio gyda'r nos a chyngerdd eto ac yna ar ôl brecwast fore Sul byddwn yn canu iddynt cyn iddynt gael eu cinio ac yna mynd adref. Er mai yng ngwesty'r Clarence y cynhelid y penwythnosau ar y dechrau, symudwyd yn y man i westy'r Risboro ac maent bellach mor boblogaidd fel ein bod erbyn hyn yn trefnu'r penwythnosau ddwywaith y flwyddyn yn y Queens yn Llandudno. Mae'r ddau ohonom yn hoff iawn o gerddoriaeth acwstig erbyn hyn, ac yn cael y fraint o gyflwyno cerddorion sy'n arbenigo yn y maes hwn ar y penwythnosau hyn: Kathy Chiavola, Gail Davies, Catherine Craig ac offerynwyr gwych fel Dave Luke. Byddwn bob amser yn mwynhau'r penwythnosau hyn ac mae'n hyfryd gweld pobl o bob cwr o Brydain yn cyfarfod ar y nos Wener a hwythau wedi dod yn ffrindiau agos iawn erbyn hynny. Mae yna dair gwraig weddw o dair rhan wahanol o Brydain yn ymuno â'i gilydd am y penwythnos gan ffarwelio ar y Sul tan y tro nesaf. Mae'n deimlad da wrth weld cynifer o bobl sydd wedi gwneud ffrindiau ar y penwythnosau hyn – maent fel un teulu mawr i ni.

Rhan 3

# Teithio Dramor

# 'DWI 'DI BOD YMHOBMAN'

Roedd yna gân yn y chwedegau o'r enw 'I've Been Everywhere, Man' yn rhestru nifer o lefydd yr oedd y canwr wedi perfformio ynddynt yn yr Unol Daleithiau. Dechreuom feddwl am y llefydd yr ydym ninnau wedi bod ynddynt dros y chwarter canrif diwethaf – o John O'Groats i Lands End, heb sôn am wledydd y byd. Felly dyma restr o'r llefydd hynny yr ydym yn gallu eu cofio – dwi'n siŵr fod yna fwy, felly mae croeso i chi roi enw eich pentref chi i mewn os ydym wedi canu yno.

Rydym wedi canu yn:

**A** Abergele, Aberystwyth, Aberaman, Aberdeen, Aberdaron, Abersoch, Aberaeron, Aberffraw, Amlwch, Amwythig, Abergynolwyn, Aberteifi, Abertawe, Ashington, Aberhosan, Avoca (UDA), Albuferia (Portiwgal).

**B** Bangor, Bethel, Basingstoke, Beaconsfield, Birmingham, Bolton, Blackpool, Bury, Birkenhead, Boppard (yr Almaen), Bideford, Bryste, y Bala, Boston, Buxton, Bedworth, Bridgnorth, Bridgewater, Bicester, Barnard Castle, Bishop Auckland, Berwick, Brighton, y Bermo, Bampton, Bury St Edmonds.

**C + Ch** Caerlŷr, Corwen, Cheam, Chesterfield, Caer, Chelmsford, Colchester, Cricieth, Conwy, Cydweli, Croesoswallt, Chipping Sodbury, Caerdydd, Caerfyrddin, Caernarfon, Carlisle, Caerloyw, Coldstream, Chichester, Chard, Ynys Canvey, Cas-gwent, Casnewydd, Congleton, Castleford, Corbridge, Coleford, Castell Newydd Emlyn, Caeredin, Chwilog.

**D** Dryslwyn, Dover, Dagenham, Dorchester, Darlington, Dolgellau, Dolgarrog, Dyffryn Ardudwy, Dinbych, Derby, Doc Penfro, y Drenewydd.

**E** Exeter, Efrog, Ellon, Elgin, Evesham, Eglwysbach.

**F + FF** Famworth, y Fflint, Ffestiniog, Fort William.

**G** Gravelines (Ffrainc), Gaiman (Patagonia), Guisborough,

Gainsborough, Great Yarmouth, Galashiels, Garstang, Gateshead, Glasgow, Gnossall, Glossop, Grimsby.

**H** Harrogate, Hull, High Wycombe, Hayle, Halburton, Holbeach, Henly, Halkyn, Harrington, Henffordd, Hucknall, Hungerford, Harlech.

**I** Immingham, Inverurie, Invergordon, Inverness, yr Iseldiroedd.

**J** Jedburgh.

**K** Kelso, Kennoway.

**L + LL** Llanelwedd, Llanrwst, Llansannan, Llandudno, Llangeitho, Llanon, Llundain, Lincoln, Llanddulas, Llanberis, Llanidloes, Llanfair PG, Llanfairfechan, Llanystumdwy, Llanbedr Pont Steffan, Llangollen, Llangefni, Llanelli, Llwyngwril, Llanbedrog.

**M** Mansfield, Manceinion, Machynlleth, Middlewich.

**N** Narberth, Nottingham, Nettlebed, Nashville Tennessee, Nant Gwrtheyrn, Nairn, Naphill, Nefyn, Newark, Newcastle, Newmarket, Newquay, Nortallerton, Northampton.

**O** Oakengates, Ombersley, Okehampton.

**P** Pershore, Penmaenmawr, Peterhead, Pencader, Penmaenpŵl, Pen-sarn, Pen-y-bont, Pitlochry, Prestatyn, Port Dinorwic, Portsmouth, Poole, Preston, Pwllheli, Porthmadog, Penrith, Pen-y-groes, Peterborough, Petersfield, Plymouth.

**Q** Queensferry.

**R + RH** y Rhyl, Richmond, Rettenden, Ramsbottom, Ravensworth, Reading, Rhos, Ripon, Rochdale, Romford, Rotherham, Rugby, Rhuthun.

**S** Sutton Bridge, Southport, Stockport, Sunderland, Scarborough, St Boswells, Sapcote, Scunthorpe, Sleaford, Selkirk, Stroud, Southend, Southwell, Stafford, Stoke, Stornoway.

**T** Tintern, Torquay, Tarporley, Taunton, Te1ford, y Trallwng, Tenbury Wells, Thornbury, Thurso, Tiverton, Totnes, Trefeglwys, Trelech, Tywyn, Torremolinos (Sbaen), Tenerife.

**U** Uttoxeter.

**V** Valley, Verwood.

**W** Wakefied, Warrington, Watford, Watten, Wellington, Wem, Wensleydale, Westbury, Weston Super Mare, Weymouth, Whitby, Whitchurch, Whitehaven, Whitley Bay, Wick, Wigan, Wincanton, Wisbech, Woking, Worcester, Worthing.

**Y** Yarmouth, Yate.

# NASHVILLE 1999

Wrth lwc mae'r ddau ohonom yn hoff iawn o deithio; yn wir mae bron yn obsesiwn gennym. Er ein bod wrth ein bodd yn byw yn ardal hyfryd Eifionydd, byddwn yn ysu am grwydro a chael gweld y byd, ac rydym wedi bod yn lwcus o gael gweld gwledydd tramor, rhai yr oeddwn cyn hynny ond wedi darllen amdanynt a'u gweld ar y teledu.

Y daith dramor gyntaf a drefnsom oedd i America gan aros yn Florida (Disneyworld) ac yna dal y bws Grayhound i Nashville. Yn anffodus, dim ond dau berson ddaeth gyda ni yr holl ffordd y tro hwnnw, sef Emyr ac Eirian o Fetws y Coed. Er nad oedd hwn yn llwyddiant masnachol cawsom y cyfle i ymweld am y tro cyntaf â Nashville a elwir yn ddinas cerddoriaeth yr UDA ac yn sicr mae'n gartref canu gwlad. Roedd y dref hon i chwarae rhan bwysig yn ein bywyd yn y dyfodol.

Y daith nesaf a drefnwyd gennym oedd i Kilkenny yn Iwerddon, a'r tro hwn daeth 70 gyda ni gan rannu dau fws. Daeth ein ffrind Ben Rees a'r grŵp Kalibre gyda ni i rannu'r nosweithiau. Cafwyd amser bendigedig a phawb wedi mwynhau'r pedwar diwrnod. Mae safon llety, bwyd a gwasanaeth y Gwyddelod yn llawer gwell na gennym ni ym Mhrydain. Ond da chi, peidiwch byth â chredu fod y Gwyddel yn araf! Pan oeddem ni ar fin talu'r bil am y gwesty yn Kilkenny dyma sylweddoli ei fod llawer yn uwch na'r hyn yr oeddent wedi ei ddweud i ddechrau a'u hesboniad hwy oedd ei fod wedi'i seilio ar werth y pwnt y bore hwnnw gan wneud yn siŵr mai nhw oedd ar eu hennill bob tro! Dysgasom mewn ychydig funudau gan y Gwyddelod sut i redeg busnes.

Yn ystod Nadolig 1997 roeddem yn nhŷ O P Huws – sef un o gyfarwyddwyr Sain a thipyn o gymeriad fel y gŵyr y rhai sydd yn ei adnabod. Bob tro y byddwn yn cyfarfod awn ati i gynllwynio i wneud rhywbeth, a'r tro hwn dyma feddwl am wneud taith dramor gyda chriw o Gymry Cymraeg i rywle.

'I ble?' meddai rhywun.

'Iwerddon, yr Alban, Sbaen?'

'O na,' meddwn wrth Andy ac O P. Sylwais ar botel o Jack Daniels ar y bwrdd, sef chwisgi sydd yn cael ei ddistyllio yn Tennessee. 'Nashville,' meddwn yn sydyn, 'ac fe allwn ymweld â Gracelands, cartref Elvis Presley.'

Dyma gysgu ar y syniad, gan ddeffro'r diwrnod canlynol i lawer caniad ffôn rhyngom ni ac O P wrth inni ddechrau trefnu'r daith fwyaf a welodd Cymru ers i'r *Mimosa* fynd i Batagonia. Penderfynsom wahodd John ac Alun i ddod gyda ni gan y gwyddem fod John yn edmygydd mawr o Elvis. Cytunwyd i gwmni Tonfedd ddod i ffilmio'r daith; ymunodd Jonsi o Radio Cymru â ni i recordio rhaglenni, a threfnwyd y daith gan Gwmni Menai o Gaernarfon.

Fi wnaeth yr anerchiad ar lwyfan Theatr Gogledd Cymru yn Llandudno ar noson 'Gwlad i Mi' gan ddweud y byddem ni a John ac Alun ynghyd â chwmni Sain a oedd yn dathlu deng mlynedd ar hugain yn y flwyddyn 1999, sef blwyddyn y daith, yn mynd i Nashville a Memphis ym Medi 1999. Roedd yr ymateb ar y noson yn anhygoel; cafwyd cannoedd o enwau yn dangos diddordeb mewn dod gyda ni. Daeth dau gant gyda ni yn y pen draw, y cyfan o ogledd Cymru ag eithro dau o'r de!

Trefnodd Tonfedd a Chwmni Sain ein bod yn rhoi cyngerdd yn Awditoriwm Ryman yn Nashville, sef cartref gwreiddiol y *Grand Ole Opry* (y rhaglen radio fyw, enwog). Helpodd ein ffrind Gail Davies, a oedd yn byw ac yn canu yno, i drefnu cerddorion i ni ar gyfer y sioe, felly, gyda phopeth wedi'i drefnu, dyma gychwyn ar y daith gan adael Pen-y-groes ar y bws dwbl decar ar fore gwlyb iawn ym mis Medi.

Doedd gwesty'r Doubletree yn Nashville ddim yn gwybod beth oedd wedi eu taro nhw pan ddaeth pawb i lawr i frecwast ar y bore cyntaf hwnnw i ddim ond bwnsan a choffi! Doedd neb wedi dweud wrthym mai dyma sut oedd hi yno, ond ceisiwch chi egluro hyn i ddau gant o Gymry llwglyd. Doedd o ddim yn ddechrau rhy dda rhwng Cymru ac America!

Y diwrnod cyntaf hwn oedd noson y cyngerdd mawr. Roeddwn wedi gweld y Ryman ar ffilm ac mewn llyfrau a gwyddwn am ei hanes ond roedd cael sefyll ar yr un llwyfan lle bu Hank Williams, Patsy Cline a Johnny Cash – i enwi dim ond rhai o'r mawrion – yn rhywbeth yr oeddem wedi breuddwydio amdano ac anhygoel oedd bod yno i ganu yn Gymraeg y noson honno.

Roeddem yn rhannu'r noson gyda Gail Davies a'i band, Del McCoury a John ac Alun. Cafodd John ac Alun a ninnau gefndir gan fand Gail, sef Rob Price ar y bas; Chris ar y piano – roedd wedi bod yn chwarae gyda John Denver am flwyddyn; Rick ar y drwm – yntau wedi chwarae gyda Travis Tritt; Scott ar y gitâr ddur; Scott arall ar y mandolin ac, wrth gwrs, Mark Web (Sergio i'w ffrindiau) sydd erbyn hyn wedi dod yn ffrind i lawer un yng Nghymru. Rydym yn ddiolchgar i Gail am ei pharodrwydd i'n helpu i drefnu'r noson ac i gael benthyg ei band proffesiynol.

Gan mai hen dabernacl yw'r Ryman mae yna acwstig bendigedig ac awyrgylch nad oes ei debyg yn unman arall. Mae'r adeilad wedi ei adnewyddu yn fendigedig ac yn dal i edrych fel capel ac felly hwyrach mai dyna pam yr oeddwn yn teimlo mor gartrefol ar y llwyfan. Teimlais ias oer drwof pan ganom 'Mor Fawr Wyt Ti', ac ni chawsom erioed gymaint o ganmoliaeth am ein perfformiad gan ein cynulleidfa â'r noson honno. Roedd hi'n anhygoel gweld y ddraig goch yn chwifio a chlywed dau gant o Gymry yng nghanol yr Americanwyr yn ein cymeradwyo. Ar ôl y noson honno, da gennym ddweud ein bod wedi gwneud nifer fawr o ffrindiau newydd ac maent yn dal i ddod gyda ni ar ein teithiau.

Tra oeddem yn Nashville cafwyd taith i ddistylldy chwisgi Jack Daniels yn Lynchburg sydd tua dwy awr o Nashville. Prynwyd dipyn o hwn i ddod adref yn ôl gyda ni (rydan ni'n dal i roi'r bai ar hwn am y daith!). Mwynhaodd pawb Nashville ei hun ac mae yno ddigon o siopau yn gwerthu pob math o bethau sy'n ymwneud â chanu gwlad. Yn y barrau mae'r cantorion yn dechrau canu am un ar ddeg o'r gloch y bore gan ddal ati tan ddau o'r gloch fore trannoeth. Mae'r lle'n llawn artistiaid sydd yn gobeithio cael eu darganfod a'u gwneud yn sêr mawr rhyw ddiwrnod. Mae hyn wedi digwydd i enwogion fel Randy Travis, Willie Nelson a Patsy Cline a bydd yr artistiaid yn ymgynnull yn y Tootsies Orchid Lounge byd-enwog. Does dim darn o wal yno nad yw wedi'i orchuddio â llun canwr gwlad, boed enwog neu beidio. Wrth gerdded i lawr Broadway – stryd fwyaf y dref – mae canu i'w glywed yn dod o'r holl farrau o fore gwyn tan nos, felly os ydych yn hoff o ganu gwlad ac yfed Buds (lager Americanaidd) dyma'r lle i chi. Aeth y newyddion ar led yn Nashville fod yna ddau gant o Gymry yn y dref, felly cafwyd posteri ar ffenestri rhai o'r barrau yn ein croesawu. Da 'te? Hefyd roedd hi'n anhygoel clywed y Gymraeg yn cael ei siarad ar gornel stryd y dref.

Aeth pawb i weld Neuadd Hanes Canu Gwlad (Country Music Hall of Fame), sydd erbyn heddiw mewn adeilad newydd sbon yng nghanol y dref. Yno mae holl hanes y byd canu gwlad sy'n arddangos dillad yr enwogion fel Hank Williams, Jim Reeves, Dolly Parton a Tammy Wynette i enwi dim ond ychydig. Yno gwelsom *Cadillac* Elvis Presley sydd yn disgleirio ag aur, a char Webb Pierce gyda chyrn y gwartheg *Longhorn* mawr ar ei flaen. Roedd gan y gŵr hwn bwll nofio ar siâp gitâr. Pwll bach yn dal pysgod aur sydd gennym ni yn Chwilog! Clywsom hen recordiau arloeswyr y byd canu gwlad a gweld sut y datblygodd i fod yn fusnes enfawr erbyn heddiw. Yno mae ystafell gyda phlaciau a roddir i bawb sydd wedi eu derbyn i'r 'Hall Of Fame' – mae yno gannoedd ond dim un i Iona ac Andy (eto!).

Aethom wedyn i weld y gwesty mwyaf y buom ynddo erioed, sef yr Opryland Hotel – mae angen map i'ch tywys o amgylch hon – yn ogystal â mynd i weld y sioe radio *Grand Ole Opry* oedd yn wefreiddiol. Sioe canu gwlad yw'r *Grand Ole Opry* sy'n cael ei recordio o flaen cynulleidfa ac yn cael ei darlledu'n fyw ledled America bob penwythnos. Mae wedi bod yn cael ei darlledu ers 75 o flynyddoedd ac yn un o'r sioeau sefydledig cerddorol hiraf yn y byd. Mae'n uchelgais i unrhyw un sydd wedi gafael mewn gitâr a cheisio canu gwlad i gael canu ar y sioe yma. Mae'n fraint a roddir i ddim ond ychydig o artistiaid yn America ac yn sicr nid oes ond llond dwrn o Brydain wedi cael canu ynddi.

Roedd yn rhaid dal ein bws am Memphis wedyn a diolch byth fod system awyru yn y bws gan fod y tymheredd yn yr wythdegau. Cymerodd y daith i Femphis drwy'r dydd gan i ni ymweld â ransh y gantores enwog Loretta Lynn ar y ffordd. Braidd yn siomedig oedd y lle hwn a chan nad oes gymaint o bobl yn mynd i weld yr hen dŷ a'r ransh mwyach roedd y lle'n mynd â'i ben iddo braidd. Eto, i ni yn bersonol, roedd yn ddiddorol gweld y lle. Ar y pryd nid oedd Loretta Lynn yn canu llawer ac nid oedd wedi recordio ers blynyddoedd, ond yn 2004 recordiodd gryno-ddisg newydd sy'n dangos nad yw oed yn rhwystro neb yn y byd canu gwlad. Mae ei chwaer Crystal Gail yn dal i berfformio hefyd ac yn dal i deithio i Ewrop.

Ymlaen â ni i Memphis gan ymweld yn gyntaf â stiwdio recordio Sun Records lle recordiodd Elvis. Er mai dim ond bychan yw'r stiwdio mae yno awyrgylch go arbennig a phan chwaraewyd tâp rîl i rîl, gyda llais y brenin ei hun arno, aeth ias lawr ein cefnau. Wrth fynd o amgylch y stiwdio fechan hon gwelsom y meicroffon y canodd Elvis drwyddo, rhai offerynnau gwreiddiol a'r dodrefn o'r cyfnod hwnnw. Ar y wal mae lluniau du-a-gwyn mawr, nid yn unig o Elvis ond hefyd o Jerry Lee Lewis, Roy Orbison a Johnny Cash a recordiodd yno hefyd. Mae'r stiwdio'n dal i gael ei defnyddio heddiw. Profiad anhygoel i bawb oedd bod yn stiwdio'r Sun Records, ac yn enwedig felly i Andy gan iddo gael ei fagu yn sain y chwedegau ac efelychu wn i ddim sawl grŵp o'r cyfnod yn ei amser. Mae roc a rôl wir yng ngwaed Andy.

Ar ôl gadael stiwdio'r Sun Records, ac ar y ffordd i Gracelands, cawsom weld y motel lle saethwyd Martin Luther King ac sydd erbyn hyn yn amgueddfa hawliau sifil. Rydym bellach wedi gweld dau le yn America lle y llofruddiwyd rhywun enwog gan i ni yn ddiweddar fod yn Dallas lle saethwyd J F Kennedy. Dwi'n falch mai yng Nghymru dwi'n byw.

Erbyn y pnawn roedd pawb yn ysu am gael gweld Gracelands. Dyma'r rheswm pam y daeth nifer fawr o'r ddau gant gyda ni, ac felly, roedd gweld y tŷ Gracelands yn brofiad ysbrydol i lawer un ohonom. Mae'r tŷ wedi ei gadw'n chwaethus ond nid yw mor fawr ag yr oedd pawb wedi ei ddychmygu. Cafwyd p'nawn gwych yno ond ddim digon hir i lawer.

Mae yna un stryd enwog yn Memphis, sef Beale Street –

cartref cerddoriaeth y felan, y *blues*. Roedd Jonsi wedi bod yn gweithio'n galed iawn gyda'i gynhyrchydd Tristan Iorwerth yn recordio rhaglenni am y daith ond y noson honno fe roesant eu meicroffon o'r neilltu a mwynhau'r noson gyda ni yn awyrgylch y stryd hon. Ni wnawn fyth anghofio trio gwthio i mewn i dacsi gyda Jonsi, Tristan, ac Alun a'i wraig – meddyliwch, chwech ohonom fel sardîns am hanner nos yn ceisio cyrraedd ein gwesty'n ddiogel. Ond ni chyrhaeddsom gyda'n gilydd wedi'r cwbl; roedd yr holl bwysau wedi achosi i waelod y salŵn gyffwrdd y ffordd gan godi gwreichion mawr a bu raid i rai ohonom newid tacsi!

Ffarweliwyd â Memphis i deithio'n ôl i Nashville a chael ein noson olaf yn y wlad ar y cwch *General Jackson Showboat* lle cawsom ginio a sioe wych wrth deithio i lawr afon Cumberland. Noson dda i orffen taith fythgofiadwy.

Cafodd bawb amser gwych ar ein taith i Nashville '99. Yn anffodus, pan ddarlledwyd y rhaglen deledu, siomedig iawn oedd barn y rhan fwyaf o bobl a ddaeth ar y daith am y rhaglen am nad oedd wedi adlewyrchu'r amser a gafwyd yno. Diolchwn i BBC Radio Cymru ac i Jonsi am ein cynnwys ni yn gydradd â phawb arall ar y daith yn eu rhaglenni a mwynheais y sgyrsiau a gefais gyda Jonsi.

# Hwyl yn yr haul

Gan ein bod wedi canu droeon fel rhan o deithiau pobl eraill i Sbaen yn y gorffennol fe benderfynom wneud ein taith ein hunain i'r haul. Tra oeddem yn canu gyda Darren Busby yn Masham, Swydd Efrog un noson dywedodd ei fod ag awydd mynd i'r haul i ganu pe byddem ni'n gallu trefnu taith iddo fo. Felly, dyna benderfynu ar Salau (i'w ynganu fel Salw) ar y Costa Dorada ym mis Medi 2000.

Oherwydd nad oedd system sain i'w gael yn y gwesty yn Salau, dyma benderfynu gyrru'r holl ffordd i lawr i Sbaen gyda'n gêr ein hunain tra byddai'r trigain o'n pobl ni'n hedfan o Fanceinion. Edrychwn ymlaen at deithio yn y car bob blwyddyn, gan ein bod yn gyrru i Ffrainc ar ein gwyliau blynyddol, ac felly doedd wynebu'r daith yn ddim problem i ni. Ond, yn anffodus, daeth yn broblem fawr iawn oherwydd wythnos cyn i ni fynd aeth gyrwyr y lorïau ati i atal unrhyw fynd a dod o'r canolfannau olew fel rhan o'u protest yn erbyn pris petrol, ac o ganlyniad aeth petrol yn brin ledled y wlad a doedd neb yn gallu symud i unman! Hyd at ddau o'r gloch y p'nawn yr oeddem i fod i adael nid oedd gennym ddigon o betrol i fynd â'r Land Rover Discovery – oedd yn llyncu petrol yn ofnadwy – i lawr i Folkestone i fynd drwy dwnnel y sianel. Ond mae'n anhygoel fel mae ffrindiau'n dod i roi cymorth ar adegau fel hyn. Fe wnaeth ffrindau i ni, sef Pat a Peter Larkin, seiffno petrol o un car nad oeddent ei angen a'i roi i ni mewn tun i'w gario fel sbâr, ac yna fe gawsom alwad ffôn gan ffrind arall oedd yn cadw garej – ond a oedd am fod yn ddienw am resymau amlwg – am i ni alw yno i lenwi ein tanc. Golygai hyn y gallem fynd cyn belled â'r porthladd ac yna byddem yn Ffrainc erbyn y bore lle roedd yna ddigon o betrol.

Roedd trafaelio drwy'r wlad yn rhyfedd iawn y diwrnod hwnnw, heb 'run car na lorri yn unman ond pan gyrhaeddsom y draffordd o amgylch Birmingham sylwom ar lorri gario petrol yn gadael garej ar yr M1, felly, dyna droi i mewn iddi.

'Diolch byth,' meddwn, a phan ofynnodd Andy i foi y garej sut ar y ddaear oedd o wedi medru cael petrol, atebodd y comedïwr, 'Pam na faswn i? Garej ydan ni, 'te!' Roedd rhaid i ni wagio ein can petrol sbâr i'r tanc cyn mynd drwy'r twnnel a chollodd Andy ychydig ar ei drowsus gan wneud i'r car ddrewi'r holl ffordd i Sbaen yn y gwres llethol. Fe gyrhaeddom Costa Dorada, diolch am hynny, ond wnaf i byth anghofio'r daith ar hyd Prydain.

Cawsom hwyl dda drwy'r wythnos gyda Darren er i mi orfod cael triniaeth ar fawd fy nhroed yno gan ei fod wedi ei heintio ar ôl i mi geisio byrstio swigen! Golygai hyn na fedrwn roi fy nhroed yn y môr am fod bandej mawr arno! Un noson pan aethom am bryd o fwyd i Cambrils fe ddaliom ni fws yn ôl i Salou a oedd rhyw ugain munud o siwrnai. Pan ddywedais wrth Andy, 'Fan'ma ydan ni fod i fynd i lawr?'

'Naci,' oedd ateb Mr Clefar. 'Y stop nesaf.' Felly, dyma ni'n aros ar y bws a sylweddoli nad oedd y stop nesaf yn gyfarwydd i ni a bod y rhan fwyaf o'r teithwyr yn gadael y bws. Dywedodd Andy, 'Paid â phoeni, mynd rownd y gwestai mae o a byddwn yn troi'n ôl am ein un ni rŵan.'

Roedd Andy'n anghywir a phan gyrhaeddodd y bws y depo mewn lle tywyll anghysbell yn Tarragonna, gorchmynnodd y gyrrwr i ni fynd oddi ar ei fws. Roedd hi rŵan yn hanner nos! Doedden ni ddim yn gwybod beth i'w wneud gan nad oedd yna'r un person i'w weld yn unman, dim golau ar y stryd tan i gar ddod rownd y gornel. Mae'n rhaid fod Duw wedi ei anfon atom gan mai tacsi ydoedd!

Diolch byth, meddwn, gan ei orchymyn i fynd â ni i Salou. Ond nid oedd popeth drosodd gan i Andy ddweud wrthyf yng nghefn y tacsi nad oedd ganddo fawr o arian yn ei boced. Penderfynais y byddwn yn rhedeg i'r gwesty i ofyn i rywun fenthyg arian i dalu am y tacsi, ond y ffordd y teimlwn i fe allwn fod wedi gadael Andy yno. Drwy wyrth roedd ganddo ddigon o arian i dalu am ein taith yn ôl. Ond credwch chi fi nid Andy oedd y dyn mwyaf poblogaidd yn Salou y noson honno!

Penderfynsom ar ein taith adref na fyddem yn gyrru i Sbaen

byth eto i ganu; hedfan yw'r unig ffordd. Gwnaethom ddwy fil o filltiroedd mewn ychydig ddyddiau ac ni fu ein Discovery byth yr un fath ar ôl hyn.

Er mai hedfan i Sbaen wnaethom ar ôl y tro hwnnw, nid oedd hynny ychwaith heb ei ddigwyddiadau. Ar Fedi'r 11eg fe welodd y byd drychineb erchyll Efrog Newydd ac nid oedd awyrennau yn hedfan o Fanceinion am bedair awr ar hugain. Roeddem ni yn hedfan ar Fedi'r 13eg, 2001, i Lloret de Mar ar y Costa Brava. Dim ond dwy ddynes wnaeth dynnu'n ôl o'r daith oherwydd eu bod yn nerfus ond doedd dim i rwystro'r 70 arall. Roeddem i gyd braidd yn nerfus ond aethom i Fanceinion gyda phawb ar y bws yn ddistaw iawn. Nid oedd llawer o bobl yn hedfan y diwrnod hwnnw ac roedd y stiwardes yn annwyl iawn gyda ni i gyd.

Mae Hwyl yn yr Haul wedi datblygu i fod yn wyliau blynyddol erbyn hyn, a daeth criwiau da o Gymry i Lloret de Mar yn 2001, i Tenerife yn 2002 ac i Torremolinos yn 2004. Ymunodd Dilwyn Pierce, John Sellers a Geraint Jones â ni, tîm sydd wedi profi'n llwyddiannus iawn. Cymeriad unigryw iawn yw John Sellers ac yn ogystal â bod yn gomedïwr mae ganddo lais da hefyd a chyda Geraint ar yr allweddellau fe gawsom berfformiad gwych ganddo. Mae Sellers yn byw pob cân a bydd y gynulleidfa'n dal ar bob gair wrth iddo ganu. Cawsom berfformiad offerynnol gwych gan Geraint hefyd; felly, os gwelwch enw Sellers a Jones ar boster, ewch i'w gweld i gael noson fythgofiadwy.

Yn 2004 ymunodd Glyn Owens â ni yn Torremolinos i gwblhau'r Tri Digri gan ei fod wedi methu dod ar y ddwy daith arall oherwydd ei waith fel ocsiwnïar. Roedd cael Glyn fel rhan o'r Tri Digri am y tro cyntaf yn yr haul yn gwneud gwahaniaeth mawr i'n nosweithiau gan iddynt wneud sgetsys ardderchog; un sgets ddifyr tu hwnt yw'r un gyda'r Tri Digri yn fabis yn gwisgo dim byd ond clytiau! Sgets arall ganddynt yw'r tri yn hen a'r sgets fythgofiadwy a gafwyd ar y noson olaf yn Torremolinos oedd ohonynt yn stripio fel y gwnaeth y dynion yn y ffilm y *Full Monty*! Wrth lwc roedd ganddynt ambarél bob un i guddio'r mannau personol.

Gan nad oedd Glyn gyda ni ar rai o'r gwyliau fe gymerodd Andy ei le mewn ambell sgets. Dychmygwch wynebau'r gynulleidfa pan ddeuai Andy ar y llwyfan wedi'i wisgo fel dawnsiwr bale yn ei deits tyn gwyn a phapur lawr man arbennig yn ei deits! Galwyd ef yn Andy Pecynbachoff. Yna byddai Sellers yn ei ddilyn wedi gwisgo'r un fath ond gyda mwy o bapur lawr ei deits sef Selleroff Pecynmawr ac yna Dilwyn fel balerina Pierceoff. Roedd pawb yn eu dyblau pan welsant Andy ar ei newydd wedd, ac ro'n i'n poeni braidd ei fod yn siwtio'r wisg, ond yn debycach i Mick Jagger nag unrhyw ddyn bale!

Ar noson arall fe wisgais innau un o siwtiau amryliw Sellers gan sefyll o flaen y gynulleidfa a dweud jôcs. Peidiwch â gofyn i mi beth ddwedais ond y funud y rhois y siwt ymlaen fe ddois yn *comedienne*! Ond mae'n well gen i ganu unrhyw ddydd!

Mae'r criw sy'n teithio gyda ni hefyd yn darparu adloniant! Ar un o'n nosweithiau yn Tenerife cawsom syrpréis gan griw o'r Bala wedi'u gwisgo fel hipis. Nid oeddent wedi dweud wrth neb eu bod yno a doedd gennym ddim syniad pwy oeddent tan iddynt dynnu eu wigiau a datgelu mai Olwen a Brad, a Gaenor a Gareth oeddent. Yn Tenerife hefyd, cafwyd un noson o gêmau gyda'r gynulleidfa'n cymryd rhan. Siôn a Siân oedd un gydag Elsie a Glyn ac Idwal a Medwen yn cymryd rhan a heb yn wybod i ni fe fu'n rhaid i ninnau fod yn rhan yn y gêm am ein bod yn dathlu chwarter canrif o ganu a charu. Nid yw'r cwestiynau a ofynnodd Dilwyn Pierce i ni'n weddus i'w hargraffu. Gêm arall oedd Mr Torremolinos, lle roedd yn rhaid i'r dynion ganu pennill o 'Mi Welais Jac y Do', chwythu balŵns i weld gan bwy oedd yr un hira a symud eu cyhyrau i gerddoriaeth. Cystadleuaeth agos iawn oedd hon rhwng Twm, Nigel ac Eryl ond John Gareth o Drefor wnaeth ennill y teitl mawreddog hwn.

Yn ystod y dydd aeth nifer fawr ar deithiau, un i Gibraltar i weld y mwncwns ar y graig enwog, un arall i bentref del Mijas ac aeth rhai hefyd i Nerja i weld yr ogofâu tanddaearol, felly roedd digon o bethau i'w gwneud os nad oedd awydd ymlacio ger y pwll nofio. Roedd yn bleser canu i'n cynulleidfa ar hyd yr wythnos a chafwyd amser bythgofiadwy yng ngwesty Bel Playa gyda phawb yn mynd adref wedi magu pwysau ar ôl yr holl fwyd bendigedig. Arwydd da yw pan fo pawb yn gofyn pryd mae'r Hwyl yn yr Haul nesaf.

Iona ac Andy ar lwyfan Arena Wembley, 1991.

Y band wrth ddrws cefn Arena Wembley!

Recordio sesiwn ar gyfer BBC Radio 2 gyda Nick Barraclough.

Canu 'Part of your World', ('Rhan o dy fyd') gyda Raymond Froggart.

Iona ac Andy? Na, Darren ac Andy!

Iona gyda'i harwres, Emmylou Harris.

Andy gyda'i arwr, Vince Gill – heb anghofio Iona, wrth gwrs!

Esther Rantzen yn diolch i ni am godi arian ar gyfer elusen Childline.

Canu mewn capel yn Boston, swydd Lincoln.

Ein band yn yr Ŵyl Canu Gwlad yn Theatr Gogledd Cymru, Llandudno: Tudur Morgan, Charlie Britton, Geoff Betsworth, Iona, Andy ac Iain Bradshaw.

Iona ac Andy ger yr abaty ar Ynys Iona.

Ni ein dau yng nghwmni'r *gauchos* yn Ariannin.

Andy'n dawnsio'r tango yn La Boca, Buenos Aires.

Yr enwog Tavarn Las, lle buom yn canu – a chael noson fythgofiadwy – yn y Gaiman, Patagonia.

Tu allan i Westy Tywi yn y Gaiman, gyda Marli Puw.

Nashville, 1999: Andy, Iona, Jonsi a Trystan Iorwerth o'r BBC y tu allan i far enwog Tootsies.

Nashville, 2001: Canu yn y Bluebird Café byd-enwog.

Nashville, 2003: Canu ar lwyfan y Grand Ole Opry.

Gefn llwyfan yn y *Grand Ole Opry* gyda Charlie Pride.

Iona ac Andy gyda'r Jordanaires, grŵp Elvis Presley, a Gail Davies.

Gyda Gwenda Owen a Dilys Baylis ar set rhaglen deledu *Diolch o Galon* ar S4C.

Cyngerdd a gynhaliodd Gwenda yn Neuadd Pontyberem wedi iddi wella o'i salwch. O'r chwith: Iona, Siân James, Toni Carroll, Gwenda Owen, Beth Robert, Gillian Elisa.

Dau ddeuawd enwog: Tony ac Aloma a Iona ac Andy

Iona a Sioned, ei chwaer, gyda'u mam.

Yr enwog Gareth Wyn.

Canu mewn priodas yn Abaty Dryburgh, yr Alban, lle mae bedd Syr Walter Scott.

Iona ac Andy gyda Daloni Metcalfe o rhaglen deledu *Wedi Saith* a Menna Medi o Sain, wedi i ni dderbyn plac gan Sain yn fyw ar y rhaglen i ddathlu chwarter canrif o ganu.

Let it be known to all men and women everywhere regardless of nationality, race, creed or denomination, that the National Traditional Country Music Assoc. of the United States of America, does hereby proclaim

Iona & Andy

# Ambassador

of Traditional Country Music throughout the world, and is hereby recognized as special envoy to the country of

Wales

as the official representative of the National Traditional Country Music Assoc., Inc. and is hereby proclaimed Ambassador by public acclaim!

Aug 31, 1983
Date

Robert Everhart
Robert Everhart, Pres., NTCMA

Kevin Gravett
Kevin Gravett, International Public Relations Director, NTCMA

Ei gwneud hi ar glawr cylchgrawn poblogaidd iawn ym myd Canu Gwlad.

# Patagonia bell

Geneth fach yn Nantlle oeddwn pan glywais am Batagonia am y tro cyntaf. Fe symudodd gweinidog a'i deulu o Nantlle yno i fyw. Roedd pawb yn mynd o amgylch y pentref gan ddweud, 'O maen nhw wedi mynd i fyw i Batagonia, ychi.' Doedd gen i ddim syniad lle roedd y Patagonia 'ma, dim ond ei fod ymhellach na Llundain a bod raid i chi fynd ar awyren neu long i fynd yno. Wrth gwrs wedyn fe gawsom wers yn yr ysgol gan Miss Williams am y Cymry yn y ddeunawfed ganrif a aeth ar y llong *Mimosa* i ddod o hyd i fywyd newydd ym Mhatagonia De America.

Yna yn y saithdegau daeth canwr golygus o'r enw Rene Griffiths ar ein sgrin deledu gan ganu â'i gitâr Sbaeneg a gwisgo ponsho. Canu'n Gymraeg wnâi Rene, rhywbeth nad oedd yn gwneud synnwyr i ni'r ifanc gan mai dim ond yng Nghymru roedd pobl yn siarad Cymraeg ac yn sicr nid yn Ne America. Cyfarfuom â Rene wrth recordio rhaglen deledu yng Nghaerdydd ac mae gennyf ddiddordeb ers hynny yn y wlad a'i phobl.

Pan awgrymodd George o Gwmni Menai ei fod am wneud taith i'r wlad honno dywedsom y byddem wrth ein bodd yn hebrwng y daith. Cyn i ni fynd fe ddaeth teulu oedd newydd symud i Gymru i fyw o'r Gaiman i'n gweld yn canu yn neuadd bentref Eglwysbach. Monica a Gwyn Jones a'i mab oedd y rhain a nhw oedd perchennog Gwesty Tywi yn y Gaiman. Gan fod sefyllfa economaidd y wlad yn argyfyngus iawn ar y pryd daethant i Gymru – un o Gymru yw Gwyn a Monica hithau o'r Gaiman – i gael gwaith a dyfodol gwell i'w teulu gan fod yna fabi arall ar y ffordd, sef Macsen. Ar ôl siarad am hydoedd gyda Gwyn a Monica penderfynwyd y byddem yn canu yn y Davarn Las yn y Gaiman ac y byddai Monica'n trefnu popeth.

Felly, ar ôl blwyddyn o hysbysebu'r daith wrth ganu o amgylch Cymru fe aethom gyda chriw ym mis Tachwedd 2002.

Roedd taith hir o'n blaenau ac aeth y bws â ni lawr i Heathrow am noson cyn hedfan i Madrid, lle y newidiom awyren i Buenos Aires, a'r daith awyren honno'n para ddeuddeg awr. Roedd digon o fwrlwm ym maes awyr Madrid y dydd Sadwrn hwnnw gyda miloedd o bobl yn hedfan i bob rhan o'r byd. Roedd yn rhaid aros am oriau hyd nes i ni fynd ar y daith i Buenos Aires. Rhoddodd rai o'n criw ni syrpréis i ni drwy wisgo crysau-T coch a'r geiriau 'Iona ac Andy Cymru' wedi eu pwytho arnynt. Doedd dim problem colli Jill a Dai, Gill a Trebs a Gwyn a Glenys ar y daith hon.

Mae yna un cymeriad bob tro pan ydym yn teithio i unrhyw le: Elsie o Gorwen oedd yr un ar y daith i Sbaen, Trebs o'r Bala yn yr Alban a'r tro hwn cymeriad o Gricieth o'r enw Edwin. Gŵr sengl yw Edwin wedi byw adref ar ei fferm ar hyd ei oes ac mae'n adnabyddus yn yr ardal fel un o gymeriadau'r fro. O bob person i eistedd yn ei ymyl am daith ddeuddeg awr mewn awyren, ia, rydach chi'n iawn – Edwin ddaeth i eistedd gyda ni. Roedd yr awyren yn llawn i'r ymylon gyda phobl a'u holl drugareddau, felly doedd fawr o le i anadlu, ac roedd gan y stiwardes dipyn o waith edrych ar ôl pawb. Roedd rhywun wedi dweud wrth Edwin fod pawb yn siarad Cymraeg yn yr Ariannin, felly byddai'n stopio'r teithwyr eraill a'r stiwardes gan ofyn cwestiwn yn Gymraeg iddynt. Gan fod y rhan fwyaf ohonynt yn siarad Sbaeneg doedd ganddynt ddim clem beth roedd Edwin druan ei eisiau. Daliodd yntau i wneud hyn ar strydoedd Buenos Aires!

Meddyliais na fyddem byth yn cyrraedd yr Ariannin ond glaniodd yr awyren ar fore Sul gwlyb iawn a daeth merch â gwên fawr o'r enw Tamara i'n cyfarfod – hi oedd ein harweinyddes tra byddem yn Buenos Aires. Aeth pawb i ymlacio yn y gwesty ond gan fod y rhan fwyaf ohonom wedi cynhyrfu cymaint roedd rhaid i ni gael cerdded y strydoedd a gweld y ddinas yr oeddem wedi teithio'r holl filltiroedd i ddod iddi. Dal i lawio wnaeth hi y p'nawn Sul hwnnw ond roedd cael awyr iach ac ymestyn y coesau'n deimlad bendigedig, glaw neu beidio.

Mae Buenos Aires wedi cael ei hadeiladu fel dinas Ewropeaidd; ceir yma geinder Paris gyda blas De America. Mae sgwariau bychain gwyrdd yma a strydoedd llydan iawn; yn wir yn y ddinas hon mae'r stryd letaf yn y byd, sef Avenida 9 de Julio (Stryd y 9fed o Orffennaf). Doedd dim problem dal tacsi yn y ddinas gan fod yna gannoedd o dacsis melyn a du yn gwibio o amgylch y lle.

Y p'nawn hwnnw fe gerddsom am hydoedd i lawr stryd Santa Fe a Stryd Florida lle roedd digonedd o siopau'n gwerthu popeth y mae dyn ei angen. Roedd digon o siacedi lledr yn rhad yma gan fod pris y peso wedi gostwng. Y noson gyntaf fe sylweddolsom pa mor rhad oedd bod yn yr Ariannin pan gawsom bryd o fwyd, yn cynnwys stêc a photel o win coch i ddau, am £6!

Cysgom i gyd yn dda iawn y noson gyntaf honno. Drannoeth, taith o amgylch y ddinas a gawsom gyda Tamara'n egluro popeth i ni. Gwelsom balas pinc enwog Casa Rosada lle siaradodd Eva Peron â'i phobl ac yna aethom i weld ei bedd a oedd fel rhyw deml fach. Mae pobl yn dal i roi blodau arno hyd heddiw. Ymlaen â ni wedyn i ardal liwgar y Boca lle roedd artistiaid yn peintio a phobl yn dawnsio'r tango. Bu bron i mi golli Andy yno i ddynes leol gan iddo ddawnsio tango yn y stryd gyda hi! Afraid dweud mai fan'ma oedd hoff le Andy.

Aethom i Café Tortoni enwog, un o gaffis hynaf y ddinas lle maent yn dal i gael sioeau tangos. Mae pobl enwog y byd wedi llofnodi'r llyfr teithwyr yno ac yn eu mysg roedd Hilary Clinton wedi dweud ei bod yn falch ei bod wedi bod yno a gweld bod rhan o'r hanes yn dal i fodoli. Roedd y tŷ opera Colon yn anferth ac yn fendigedig o le. Ar y pryd roeddent yn paratoi ar gyfer bale ac fe gawsom ymweld â'r ystafelloedd lle'r oeddent yn ymarfer ac yn gwneud y gwisgoedd. Roedd y theatr ei hun yn wefreiddiol; biti nad oedd sioe yn cael ei chynnal pan oeddem yno.

Aethom i weld ransh fawr y tu allan i'r ddinas lle gwelsom *gauchos* yn reidio ceffylau, gweld sut yr oeddent yn byw erstalwm ar y fferm ac yna digon o win coch a chig oddi ar y barbeciw. Yno canodd gŵr a gwraig yn Sbaeneg wrth i ni gyd wrando a dawnsio. Yna, gwahoddodd y ddau ni i ganu ac felly dyma ni'n canu yn Gymraeg am y tro cyntaf yn yr Ariannin gan fenthyca eu gitâr Sbaenaidd ragorol. Pnawn bythgofiadwy arall.

Daeth y ddau ddiwrnod a gawsom yn Buenos Aires i ben yn llawer rhy fuan i Andy a minnau ond roedd Patagonia'n galw, felly, yn oriau mân y bore, aethom i'r maes awyr unwaith eto. Taith o ddwy awr oedd hi y tro hwn – ac am le hollol wahanol i'r un yr oeddem newydd fod ynddo oedd Trelew. Y peth cyntaf ddaeth i'n meddwl oedd 'Beth oedd y Cymry, ar ôl teithio ar y *Mimosa* yn 1865, yn ei feddwl o holl ddiffeithwch y paith y safwn arno?' Doedd dim yno iddynt a doedd hi ddim mor hawdd troi'n ôl am adref yr adeg honno.

Daeth hen fws fel oedd gan Seren Arian yn y chwedegau yn Nantlle i'n tywys ni i'n gwesty yn Nhrelew. Fel ar y diwrnod cyntaf yn Buenos Aires roedd pawb yn ysu am weld Trelew ar ôl yr holl flynyddoedd o ddarllen a gweld tipyn ar deledu – yn enwedig rhaglenni Dai Jones a Dafydd Iwan. A dyna ni yno, a'n traed ar ddaear enwog y Wladfa.

Mae'n dref weddol brysur ond nid oes yno ôl arian fel sydd yn Buenos Aires. Sylwem ar enwau Cymraeg o amgylch y dref: Neuadd Dewi Sant, Capel Cymraeg, y Tabernacl. Aeth nifer ohonom o amgylch yr amgueddfa Gymreig, hen orsaf drên gyda chreiriau a oedd yn perthyn i'r Cymry ymysg pethau eraill. Aethom i siop lyfrau Cristnogol Miss Mair Davies o Bentrecwrt, Llandysul, a chael sgwrs am y tro cyntaf yn y Gymraeg â rhywun diarth ers inni gyrraedd. Roedd yn brofiad od iawn a ninnau filoedd o filltiroedd o gartref.

Fore trannoeth aeth y criw ar daith i weld tipyn ar y byd natur sydd i'w weld ym Mhatagonia. Mae nifer fawr o ymwelwyr o bob rhan o'r byd yn ymweld â'r wlad dim ond i wneud hyn. Y diwrnod hwnnw gwelsant forfilod mor agos fel bod modd eu cyffwrdd bron iawn ond ni welodd Andy na minnau'r rhain gan ein bod yn brysur yn paratoi ar gyfer noson o ganu yn y Davarn Las yn y Gaiman.

Daeth tacsi i'n cludo yno yn y p'nawn ond ar y ffordd roeddem wedi cael cyfarwyddyd i nôl gitâr o dŷ Jorgi (i'w ynganu yn Chorche). Eisteddodd Andy a finnau yng nghefn y tacsi heb ddim Sbaeneg i allu siarad â'r gyrrwr gan obeithio y byddai'n mynd â ni i'r lle iawn. Aethom i lawr strydoedd tlawd heb darmac o gwbwl arnynt ac o'r diwedd arhosodd y tacsi tu allan i'r tŷ bach dela yn y stryd allan â ni a chnocio ar y drws a dyna ddyn yn ei agor a gitâr yn ei law. Diolch byth, meddyliom.

Cerddor yw Jorge (Chorche George i ni bellach) ac fe welsom ef droeon ar lwyfan yr Eisteddfod y diwrnod wedyn.

Ymlaen â ni i'r Gaiman – pentref bychan gyda nifer o dai te Cymraeg a siopau bach del, ond yr hyn yr oeddem ni am ei weld oedd y Davarn Las. Dyna lle roedd y dafarn ar ochr stryd Michael D Jones gyda Gwesty Tywi yr ochr arall i'r ffordd. Ar ôl gofalu bod popeth yn barod ar gyfer y noson fawr aethom i Westy Tywi lle roedd Marli Pugh yn aros amdanom. Cawsom baned o de a theisen bara brith. Mae Marli'n edrych ar ôl y gwesty i Monica ac yn athrawes yn yr ysgol gerdd ac yn hynod o gyfeillgar, bywiog a phrysur.

Cyrhaeddodd pawb o'n criw ni ar fws nas gwelwyd ei fath o'r blaen. Roedd ei ffenest flaen wedi torri ac roedd twll bwled ynddi ond roedd wedi dod â phawb yn ddiogel atom y noson honno. Roedd y lle'n orlawn a'r bobl leol wedi ymgynnull, a chan ein bod wedi penderfynu drwy Monica ein bod am godi arian at yr ysbyty leol, roedd nifer o gynrychiolwyr o'r ysbyty yno hefyd. Daeth criw o Lanuwchllyn i mewn fel yr oeddem ar fin dechrau; roeddent wedi teithio ar fws o Esquel, felly dyma be' oedd noson i'w chofio. Canodd bachgen lleol gyda Jorge ar ei gitâr ac fe orffennom y noson gyda 'Hen Wlad Fy Nhadau'. Gwelwyd tipyn o ddagrau'r noson honno ac fe godwyd £400. Roedd hyn yn ffortiwn yno ac rydym yn dal i dderbyn diolch drwy Monica am y noson. Mae'r arian wedi prynu nifer o bethau megis blancedi a chlustogau ar gyfer yr ysbyty ble mae'r henoed o Gymry. Nid ydym wedi derbyn cymaint o ddiolch am wneud unrhyw beth o'r blaen ac rydym wedi dal ati hyd heddiw i godi arian ar eu cyfer pan fo'n bosib. Mae Cledwyn a Mair Thomos yn mynd yno i roi peth o'r hyn yr ydym ni wedi ei gasglu a diolch iddynt hwythau.

Daethom yn ôl i'r Gaiman y bore wedyn ac ymweld â'r tai te. Cawsom groeso mawr gan berchennog Tŷ Gwyn, ac am de a gawsom: bara menyn cartref, jam, teisennau o bob math a digon o baneidiau o de allan o bot iawn fel yr arferid ei gael erstalwm. Daeth ag atgofion i mi o eistedd wrth fwrdd te ar fferm y Gelli erstalwm yn Nantlle. Roedd rhaid hefyd ymweld ag Irma yn ei siop Man Naturiol; roedd hi wrth ei bodd yn cael siarad Cymraeg â ni. Prynais ddau lun bach o ddau gapel y Gaiman ganddi.

Teimlwn eu bod yn byw yn y Gaiman fel yr oeddem ni yn byw pan oeddem yn blant.

Daeth diwrnod yr Eisteddfod, ac er nad yw Andy yn eisteddfodwr fe fwynhaodd ei b'nawn. Cynhelid y cystadlaethau yn y Sbaeneg a'r Gymraeg gyda safon uchel iawn, yn arbennig y corau o'r Gaiman ac o Esquel a'r côr Sbaeneg o Buenos Aires, a gwelwyd Marli droeon ar y llwyfan. Cafwyd cynnwrf mawr gennym ni y Cymry pan enillodd Andrea Parry o'r Bala Gadair yr Eisteddfod. Dwn i ddim sut yr oedd hi am fynd â hi adref ar yr awyren!

Un diwrnod treuliom ddwy awr ar fws gwlad yn teithio ar hyd ffordd heb ei tharmacio gan gyrraedd glan y môr lle roedd yna filoedd ar filoedd o bengwins, golygfa na wnaf fyth ei hanghofio. Treuliai'r rhain eu holl fywyd yn mynd yn ôl ac ymlaen i'r môr i nôl bwyd. Ar ôl gweld byd natur ar ei orau fe aethom i'r fynwent uwchben y Gaiman lle mae nifer fawr o Gymry wedi eu claddu. Peth rhyfedd iawn oedd darllen y cerrig beddau gyda chynifer o Williams, Lewis, Jones ac Evans arnynt. Roedd nifer fawr o'r rhain gydag enw cyntaf Sbaeneg – Orlando Jones, Rodolffo Williams, Monica Evans. Treuliom awr yn mynd o amgylch y fynwent gan golli deigryn bach wrth fynd o fedd i fedd.

Rhaid oedd ffarwelio â Phatagonia a Marli a daeth hithau i'r maes awyr i ffarwelio â ni. Hefyd roeddem yn colli dau o'n parti ni, sef Cled a Mair gan eu bod hwy'n mynd ymlaen i Esquel. Cawsom bum diwrnod na wnawn fyth eu hanghofio. Diolch i Monica a Marli am drefnu'r cyngerdd i ni.

Yn ôl yn Buenos Aires am y diwrnod olaf aethom ar gwch ar afon Plat gan weld y tai ar bileri yn y dŵr ac yna i barc lle roedd coed yn blaguro'n hyfryd; roedd hi'n wanwyn yno a'r blodau'n wefreiddiol. Yna i orffen ein hymweliad cafwyd noson mewn clwb tango gyda phryd o fwyd a sioe dango broffesiynol.

Er bod y daith i'r Ariannin yn hir, ac ar adegau y siwrneiau tra oeddem yno hefyd – roeddwn wedi gofyn i mi fy hun pam oeddwn i'n mynd yr holl ffordd yno – roedd o'n werth bob munud. Mae'n rhaid i bawb fynd yno unwaith yn eu bywyd, felly ewch yno ar bob cyfrif os cewch y cyfle.

# NASHVILLE 2001 A 2003

Ar ôl llwyddiant y daith yn '99, erfyniwyd arnom gan y ffans i ddychwelyd i Nashville er mwyn cael mwy o amser i weld y dref, ac felly trefnwyd gennym ein hail daith gyda hanner cant o bobl. Roedd rhai'n dod am y tro cyntaf, dau erioed wedi hedfan o'r blaen ac eraill yn ailymweld â Nashville. Gan mai dim ond mis ar ôl Medi'r 11eg oedd hi a phawb yn cofio digwyddiadau'r flwyddyn flaenorol, roedd yna ddigon o le ar yr awyren ac roedd yna ryw ymdeimlad o agosatrwydd rhwng pawb.

Shoneys oedd y gwesty a'r tro hwn cawsom frecwast iawn yno gan roi dechrau da i'r diwrnod. Roedd y gwesty hwn ger yr Opry Mills sef canolfan siopa wych a oedd newydd agor ger y gwesty anferthol hwnnw, yr Opryland Hotel. Treuliwyd bob munud sbâr yn siopa a bwyta yn y ganolfan hon. Profiad bythgofiadwy oedd bwyta yn y lle a alwyd yn Rainforest gyda Cledwyn a Mair Thomos o Gefniwrch, Llangefni; tŷ bwyta wedi ei lunio i gyd-fynd â'r enw oedd hwn a phob hanner awr ceid storm ffug gyda tharanau a golau yn fflachio. Deuai'r holl fwncïod ffug a oedd yn amgylchynu'r lle yn fyw! (wel, bron iawn gan mai gwichian a symud eu breichiau yn y storm a wnaent). Roedd eu bwydlen yr un mor anturus gyda phwdin o'r enw 'Volcano', sef plât mawr gyda hufen iâ a saws siocled yn meddalu drosto, ac wrth gwrs, sbarclars yn goleuo'r holl beth; cafodd hwn ei weini gyda phedair llwy i'r pedwar ohonom gael claddu i mewn iddo!

Y tro hwn trefnodd Gail Davies ei bod hi a ninnau'n cynnal cyngerdd yn y Bluebird Café byd-enwog, lle mae nifer fawr o enwogion wedi canu ac yn dal i wneud hyd heddiw. Tŷ bwyta yn dal tua chant o bobl yw'r lle hwn ac mae'r perchennog, Miss Amy, yn ei redeg gyda llaw haearn! Gwae neb i siarad na symud tra bo'r artistiaid yn canu! Yma mae canwyr-gyfansoddwyr yn dechrau eu gyrfaoedd gan obeithio cael eu darganfod. Bu i Garth Brooks ganu yno yn ei ddyddiau cynnar a rhoddodd Amy wyth o farciau allan o ddeg iddo. Dwn i ddim faint o farciau a roddodd i ni ond roedd hi'n fraint cael canu yn y Bluebird Café.

Cawsom docynnau i fynd tu cefn i'r llwyfan i rai o'n criw er mwyn mynd i weld a chyfarfod y sêr mawr ar y *Grand Ole Opry*. Dychmygwch y wefr a gafwyd gennym i gyd o gyfarfod ein harwyr a chael ysgwyd llaw â Charlie Pride, Ricky Scaggs a'r Jordanaires, sef grŵp lleisiau cefndir Elvis Presley. Ni wnaf fyth anghofio un o'n criw ni, sef Cliff Parry, yn dweud ar ôl iddo gyfarfod ei arwyr John Conlee a Charlie Pride, 'Mi gaf farw'n hapus rŵan gan i mi gyfarfod y sêr a chyffwrdd y llenni coch ar lwyfan y *Grand Ole Opry*.' Y drasiedi fawr oedd i Cliff Parry – y gŵr annwyl o Gaernarfon – farw o fewn chwe mis o gancr, ond rydym yn falch ein bod wedi rhoi'r cyfle iddo gael gwireddu breuddwyd cyn diwedd ei fywyd.

Roedd sioe y noson honno'n wefreiddiol a chan ein bod yn eistedd ar y llwyfan gallem weld popeth oedd yn digwydd. Roedd yn anhygoel gweld sut yr oedd grwpiau yn newid drosodd yn ddidrafferth, a digwyddai hyn tra oedd yna ddyn yn rhoi hysbŷs gan noddwyr y rhaglen. Y noson honno y noddwyr oedd y cwmni bisgedi Goo Goos, bisgedi neis gyda thaffi cnau a siocled.

Ar ôl ymweliad arall â chartref Elvis daeth yn amser hedfan adref gyda phawb wedi mwynhau eu hunain. Ysbrydolwyd dau ŵr o'r enw Graham ac Eryl o Chwilog gan y daith hon oherwydd aethant ati i brynu gitârs drud iawn a derbyn gwersi ac erbyn hyn maent wedi pasio arholiadau uchel iawn. Nid oeddent yn gefnogwyr mawr o ganu gwlad cyn y daith i Nashville ond bellach maent yn gefnogwyr ffyddlon ac yn wybodus iawn yn y maes erbyn heddiw.

Mis Tachwedd 2003 oedd hi pan ddychwelom i Nashville, Tennessee, am y trydydd tro. Y tro hwn, ni oedd yn gwneud yr holl drefniadau ein hunain gan fod gennym drwydded asiantaeth teithio ac nid oedd raid defnyddio neb arall ac felly roedd y pwysau arnom i gael popeth yn iawn i'n criw. Roedd y daith hon yn fwy anturus na'r ddwy daith flaenorol gan i ni fentro i Texas am y tro cyntaf i ymweld â Fort Worth, Dallas a San Antonio ac yna hedfan o Dallas i Nashville. Mae'n rhaid i ni gyfaddef ein bod wedi mwynhau bod yn gyfrifol am bopeth drwy gydol y daith gan ofalu fod pawb yn mynd drwy'r holl archwiliadau diogelwch (sydd yn fanwl iawn y dyddiau hyn wrth reswm – yn mynd ar yr awyren gywir, yn dal y bws oedd yn ein tywys ni i'n gwesty a bod pawb yn cael eu hystafelloedd cywir yn y gwesty – camp go arbennig gan fod hanner ein criw â'r enw Jones!

Roeddem yn hedfan o Fanceinion gan newid awyren ym maes awyr Atlanta cyn cyrraedd Dallas. A dyna i chi le mawr oedd hwnnw. Mae Atlanta yn Georgia, sef cartref Coca Cola, ac mae yn awr yn gartref i faes awyr prysura America. Roedd yn rhaid dal trên tanddaearol i fynd chwe bloc i ddal ein hawyren i Nashville. Er bod hyn yn dipyn o gamp, ni chollwyd neb. Nid wyf wedi gweld cynifer o siopau mewn maes awyr â hwn yn Atlanta. Mae yno hefyd ddewis helaeth o lefydd bwyta – fel ym mhobman yn America. Ond yr un yr ydym ni bob amser yn mynd iddo gyda'n ffrindiau Cledwyn a Mair Thomas yw Starbucks. Does dim i guro eu coffi *mocha* nhw: 'Small, regular or large, madame?' yw'r dewis. Byddai un bach yn cael ei gyfri'n fawr yma yng Nghymru. Mae hyd yn oed gwneud penderfyniad mor fach â hyn yn anodd yn America yn enwedig pan ydych chi'n dal i ddioddef effaith y daith awyren draw. Ond ar ôl un o'r rhain cewch y nerth i gario 'mlaen ar y daith.

Cyrhaeddsom Dallas yn ddiogel er gwaetha'r holl deithio a'r aros yn Atlanta, ond wrth inni gario ein cesys tuag at y bws mawr moethus a oedd i'n cludo i'r gwesty, sylweddolais fy mod wedi pacio dillad hollol anaddas. Roedd hi'n wlyb ac yn oer iawn yn Dallas a minnau wedi pacio siorts a sbectol haul gan fod rhagolygon y tywydd wedi ein camarwain a dweud fod y tymheredd yn yr wythdegau!

Ond roedd gwên Stan ein gyrrwr bws yn ddigon i gynhesu unrhyw un. Dyn annwyl a bonheddig iawn oedd Stan ac ar ôl bod yn ei gwmni am ychydig ddyddiau daethom i'w adnabod yn dda. Fe astudiodd i fod yn offeiriad ond penderfynodd mai gyrrwr bws roedd e am fod. Pan ofynnwyd iddo pam, ei ateb oedd: 'Am fy mod isio bod'. Cawsom ddigon o wybodaeth am Texas ganddo ef a'r arweinydd, Joyce. Er bod Fort Worth a Dallas yn gymdogion mae'r gystadleuaeth rhyngddynt yn anhygoel – cystadleuaeth fel sydd fel rhwng Nantlle a Tal-y-sarn, rhwng Penmaen-mawr a Llanfairfechan a rhwng Lerpwl ac Everton a daeth hyn yn amlwg wrth wrando ar Stan a ddeuai o Fort Worth a Joyce a ddeuai o Dallas.

Y bore cyntaf yno fe'n cludwyd gan Stan o amgylch Fort Worth ac yna i weld lle y llofruddiwyd yr Arlywydd Kennedy yn Dallas. Teimlad iasol iawn oedd gweld yr union le y lladdwyd Kennedy; roedd fel rhyw *déjà-vu* pan welsom y 'Grassy Knoll', y llyfrgell a'r tanffordd – llefydd oedd yn gyfarwydd i ni gyd gan ein bod wedi eu gweld droeon ar ein teledu ac ar ffilm. Roedd yn deimlad afreal sefyll yno yng nghanol y glaw mawr dan ambarél gydag ymwelwyr eraill fel ni yn cael y stori ddeugain mlynedd union i'r wythnos pan ddigwyddodd y drychineb hanesyddol honno.

Aethom ymlaen i ochr arall yr afon, sef i'r Stockyards yn Fort Worth. Yno, erstalwm yr oeddent yn gyrru eu gwartheg drwy'r strydoedd ac yn eu gwerthu yn y farchnad. Dyma eu fersiwn nhw o farchnad Bryncir neu Gaerwen ond gyda gwartheg anferth â chyrn hir fel mae'r enw yn ei awgrymu – y *Longhorns*. Gwelsom gowbois ar eu ceffylau yn wlyb diferol yn tywys y rhain drwy'r stryd a honno fel set ffilm gowboi yn llawn siopau'n gwerthu pethau lledr, dillad cowbois a *saloons*. Yn un o'r rhain y cawsom ein Margharita cyntaf, sef coctêl enwog Texas ac un da ydi o hefyd. Roedd yna fwy o gowbois yma yn Texas nag a welsom o'r blaen yn Tennessee.

Gyda'r nos aethom i honci-tonc mwya'r byd, sef lle o'r enw Billy Bobs. Mae mor fawr fel bod yno faes rodeo teirw a gwelsom deirw mawr yn cael eu marchogaeth ddwywaith y noson! Roedd gen i dipyn o'u hofn, yn enwedig pan oedd y tarw yn dod yn agos at ble roeddwn i'n eistedd gan mai dim ond rheiliau oedd rhyngom a minnau'n eistedd yn y sêt flaen. Deallais yn rhy hwyr pam oedd y rhain yn wag. Yno hefyd roedd dau lwyfan mawr gyda dwy sioe yn cael eu cynnal bob nos. Rick Trvino oedd yno un noson a Steve Wariner ar yr ail noson. Rwyf wedi bod yn edmygydd mawr o Steve ers blynyddoedd ac ni chefais fy siomi gan ei ganu a'i berfformiad.

Ar ôl dau ddiwrnod roedd hi'n bryd i ni symud i'r De ac i San

Antonio. Wrth lwc fe wellodd y tywydd ac erbyn i ni gyrraedd San Antonio fe gawsom wres yr haul am y tro cyntaf ers i ni gyrraedd. Roedd hi'n drist ffarwelio â Stan gan iddo fod mor gyfeillgar.

Y prif reswm dros ymweld â San Antonio oedd i weld yr Alamo enwog. Pwy all anghofio gweld John Wayne yn y ffilm enwog honno *Remember the Alamo*? Ond, wrth gwrs, mae'n stori wir am ychydig o arloeswyr o Dexas, dan arweiniad Davy Crockett a Jim Bowie, yn ymladd yn erbyn miloedd o Fecsicanwyr a chael eu lladd i gyd. Roeddem wedi clywed bod Cymro ymysg y meirw a bod baner y Ddraig Goch yn yr hen Eglwys, a wir i chi, yno yr oedd wrth y drws. Treuliodd Cled a Mair Thomos oriau yn y llyfrgell yn cael hanes Lewis Johnson o Gymru. Nid oeddwn yn siŵr iawn cyn mynd beth i'w ddisgwyl yn yr Alamo ond yn sicr fe wnaethom fwynhau mynd o amgylch y lle. Mae yna awyrgylch sanctaidd yno a pharch at yr hanes, gyda phopeth wedi ei gadw'n barchus a'r amgueddfa'n llawn hanes y rhyfel.

Roedd tref San Antonio ei hun yn fendigedig hefyd ac ynddi fwy o awyrgylch Mecsicanaidd gan ei bod yn agos at ffin y wlad. Braf oedd cael bod yn gynnes wrth gerdded ar hyd glan y canal ynghanol y dref. 'Riverwalk' yw enw'r ardal hon gyda chychod yn mynd ar ei hyd yn llawn twristiaid ac ar ei glannau roedd siopau a llefydd bwyta bendigedig. Gelwid un o'r llefydd yma'n Hooters, lle nad oedd y gweinyddesau yn gwisgo fawr o ddim! Does dim rhaid i mi ddweud mai dyma hoff le'r dynion.

Yng Ngwesty'r Marriott yr arhosem, gwesty bendigedig gyda chegin ymhob ystafell, lolfa deledu a desg ar gyfer y dyn busnes. Saif y gwesty mewn lle cyfleus iawn, dafliad carreg o'r Alamo, a phob nos wrth ddychwelyd i'r gwesty byddwn yn cerdded ger wal yr Alamo a oedd wedi ei goleuo'n hyfryd. Pwy fyddai'n meddwl fod yr holl fywydau wedi eu colli ger y wal hon a oedd heddiw wedi'i hamgylchynu gan draffig ac adeiladau'r unfed ganrif ar hugain?

Ymlaen â ni i Nashville a'r tro hwn ar awyren. Roedd yn rhaid glanio unwaith eto yn Atlanta er mwyn newid i fynd i Nashville. Yno, am saith o'r gloch y nos, yr oeddem mewn ciw o awyrennau fel petaem ar draffordd yr M4; welais i erioed gynifer o awyrennau yn aros eu tro i hedfan. Cymerodd tua hanner awr cyn iddi godi ei thrwyn ac i fyny â ni i Tennessee. Yr Holiday Inn ar Broadway oedd ein cartref am y pum diwrnod nesaf ac unwaith eto mewn safle cyfleus iawn ar gyfer cerdded i ganol y dref ac yn uchel ei safon fel pob gwesty yn America y buom ynddo.

Er ei bod wedi deg o'r gloch y nos arnom yn cyrraedd, aeth rhai o'n criw i'r honci-toncs ond am unwaith nid oedd Iona ac Andy yn eu plith – roedd gennym ormod o gyfrifoldeb ac roedd angen digon o gwsg arnom i wynebu'r dyddiau nesaf. Yn ein hystafell roedd yna neges i ni ar beiriant ateb ein ffôn gan Gail Davies a'n cynhyrfodd yn lân o lawenydd. Dywedodd ei bod wedi ein bwcio i ganu ar y *Grand Ole Opry* ar y nos Wener, sef y sioe yr oedd ein criw ni yn mynd iddi. Hefyd roedd wedi trefnu i ni ymuno â hi i ganu un o'i chaneuon, sef y gân a addaswyd i'r Gymraeg gan Dafydd Thomos o Fangor, 'Rhywun Fel Ti'. Roedd am i ni ganu yn y Gymraeg ar y *Grand Ole Opry*! Ni fedrem gysgu llawer y noson honno wedi'r cwbl, wrth feddwl ein bod o'r diwedd yn mynd i wireddu ein huchelgais. Ni ddywedsom wrth neb am ein cyfrinach gan dreulio'r ddeuddydd nesaf yn mynd o amgylch Nashville gyda'n pobl.

Treuliom gryn amser yn mynd o amgylch Neuadd Hanes Canu Gwlad unwaith eto, fel y gwnaethom yn 1999. Cludwyd ni ar y bws o gwmpas Nashville gan Pat a oedd wedi bod gyda ni ar y ddwy daith flaenorol. Aeth â ni i weld hen blasty o'r enw Belle Meade a oedd yn blanhigfa fawr ar ddechrau'r ganrif. Gwelsom sut oedd y bobl fawr yn byw yn y tŷ crand gan gael ein tywys o amgylch y tŷ gan ferch yn gwisgo ffrog Crinolin gan roi naws hanesyddol i'r ymweliad.

Yn ôl ar y bws â ni ac i lawr stryd enwog Music Row lle mae swyddfeydd y cwmni recordiau mawr fel Sony, RCA a Mercury ac yna dyna ni'n dod ar draws rhywbeth newydd yn Nashville, sef cylchdro. Ia, dyna i chi gylchdro cyntaf Tennessee sydd wedi achosi llawer o drafferth i'r brodorion. Mae wedi achosi anhrefn llwyr yno gan nad ydynt yn gwybod sut i fynd o'i amgylch, na'i adael! Nid y cylchdro ei hun yn unig sydd wedi eu cynhyrfu ond y cerflun mawr o bobl yn rhedeg yn noethlymun mewn cylch sydd arno. Nid yw hyn wedi cael derbyniad da yn Nashville; maent yn falch iawn mai yno mae'r Beibl Gideon yn cael ei gyhoeddi ac mae yno gannoedd o gapeli ac eglwysi, felly nid yw cerflun o'r fath yn eu plesio o gwbl am ei fod yn rhoi'r argraff anghywir i'r ymwelwyr am y lle. Pobl grefyddol ydy pobl Nashville. Roedd gyrrwr y bws a'n harweinydd yn credu ei fod yn beth chwerthinllyd iawn ac fe aeth Pat y gyrrwr o'i amgylch ddwywaith er mwyn i ni ei weld yn iawn.

Cyn i ni fynd yn ôl i'r gwesty aethom o amgylch eu parc canmlwyddiant lle mae cofgolofn i goffáu pawb a gollodd eu bywydau mewn rhyfeloedd diweddar. Y noson cyn yr *Opry* fe aethom i gyd i'r Station Inn, lle byd-enwog am gynnal cerddoriaeth acwstig. Yno y noson honno roedd Gail Davies yn cynnal noson er cof am ei brawd Ron Davies – canwr-gyfansoddwr a fu farw ychydig wythnosau ynghynt. Roedd y lle yn orlawn a'r awyrgylch yn drydanol a chawsom noson fythgofiadwy gan i ni gymryd rhan yn y cyngerdd a chloi'r noson ar y llwyfan gyda'n ffrindiau o Nashville, Kathy Chiavola a Catherine Craig. Mae'r ddwy'n enwog yn Nashville ac erbyn hyn maent yn dod i Gymru i gynnal nosweithiau gyda ni, a braint yw bod yn gyfeillion iddynt.

Cadarnhaodd Gail ein bod i ymuno â hi ar lwyfan yr *Opry*. Yn ystod yr haf mae'r *Grand Ole Opry* yn cael ei chynnal yn y neuadd newydd fawr yn Opryland ar gyrion y dref ond gan fod llai o bobl yn ymweld â'r dref yn ystod misoedd y gaeaf mae'n dychwelyd i'w chartref gwreiddiol yn Awditoriwm Ryman yn Downtown Nashville, adeilad sy'n llawn hanes. Adeiladwyd yr adeilad yn Dabernacl gan gapten môr o'r enw Capten Ryman ac mae'n dal i edrych felly gyda meinciau pren a ffenestri lliw. Cynhaliwyd nifer o gyngherddau clasurol yma i ddechrau cyn ei drosglwyddo i ganu gwlad yn 1930. Bu hyd yn oed i'r tenor enwog Caruso ganu yno ac roeddem ni'n ymwybodol iawn y byddem yn sefyll ar yr union lwyfan lle canodd Hank Williams, Johnny Cash, Tammy Wynette, Dolly Parton ac Emmylou Harris. Hwn fyddai'r eildro i ni ganu ar lwyfan Awditoriwm Ryman ond roedd cael bod yn rhan o sioe yr *Opry* yn wahanol.

Yr hyn sydd yn anhygoel am yr *Opry* yw fod y sêr mawr

yma'n cerdded o amgylch y lle yn rhwydd gan siarad â phawb tu ôl i'r llwyfan fel hen ffrind. Roeddem wedi bod tu ôl i'r llwyfan ddwy flynedd ynghynt ac felly wedi dod i adnabod rhai o'r sêr. Da oedd cyfarfod rhai ohonynt unwaith eto ac roeddent yn ein cofio ninnau hefyd, 'O yes, you're the couple from Wales, aren't you?' Braf oedd cael ysgwyd llaw â John Conlee a'r grŵp Ryders in the Sky unwaith eto. Yno hefyd yr un noson â ni oedd y canwr a welsom ar y llwyfan yn Texas, sef Steve Wariner. Meddalais wrth ysgwyd ei law ac edrych i fyw ei lygaid (sori, Andy!) – mae o'n ddyn golygus ac yn gallu canu a chwarae gitâr yn wych.

Yn yr ystafell wisgo drws nesaf i ni roedd grŵp o'r enw The Whites. Teulu yw'r rhain o dair chwaer a'u tad yn chwarae piano iddynt, ac fe gofiwch i ni sôn am y rhain o'r blaen gan i ni eu cyfarfod ugain mlynedd yn ôl pan oeddem yn Denver a chael gwahoddiad i eistedd yn eu bws mawr a oedd fel tŷ. Mae'n rhyfedd fel mae'r byd yma'n troi, yn tydi?

Pan gyrhaeddodd Gail fe gawsom ymarfer yn yr ystafell wisgo – neb yn edrych ar lefelau'r sain yma – a dyna hi'n amser iddi hi fynd ar y llwyfan. Pan oeddem yn sefyll ar ochr y llwyfan yn aros iddi ein cyflwyno roedd fy nghalon yn fy ngwddw a 'nwylo'n oer fel rhew. Aeth pob math o bethau drwy fy meddwl – beth fyddai fy nhad yn ei ddweud wrth fy ngweld yn canu yn Awditoriwm Ryman oedd yn debyg i gapel Nantlle ond tipyn yn fwy; beth ddywedai Mam ar ôl i ni gyrraedd adref; ys gwn i faint o bobl fyddai'n gwrando ar y radio y noson honno? Ond daeth diwedd ar yr holl feddyliau ac roedd hi'n amser i ni bryd ar y llwyfan i greu hanes gan ganu cân Gail Davies yn Gymraeg yn fyw ar lwyfan y *Grand Ole Oprey*.

Rhoddodd gyflwyniad gwych i ni gan ddweud ei bod hi newydd fod yng Nghymru gan mai Cymro yw ei gŵr – Rob Price o Fwcle, Sir Fflint – a'n bod ni wedi recordio ei chân yn Gymraeg a'n bod, meddai hi, 'The Hottest Duo in G Britain – would you welcome Iona and Andy Boggie.' Pan gerddom ymlaen cawsom gymeradwyaeth anhygoel nid yn unig gan ein criw ni ond gan yr Americanwyr hefyd. Canodd Gail ei phennill yn Saesneg ac yna fe gansom o'n calonnau y gweddill yn Gymraeg gyda hi a Rob yn ymuno yn y gytgan yn y Gymraeg:

Yn rhywle dyn sydd heb wraig i droi ati,
Yn rhywle gwraig sydd yn unig ei chri,
Yn rhywle plentyn sydd heb fam i'w fagu
Rhywun sy'n chwilio am rywun fel ti.

Fel yn Iowa fe gychwynnodd y gynulleidfa glapio eu dwylo ar ôl clywed un llinell gan ddal ati tan i mi orffen canu'r pennill. Roedd yr holl brofiad yn anhygoel.

'Digwyddodd, darfu megis seren wib', oedd geiriau R Williams Parry yn ei bennill i'r llwynog. Dwi rŵan yn gwybod ystyr y llinell honno. Roedd ein hamser ar ben llawer yn rhy sydyn. Cawsom ein llongyfarch gan ein criw ni ar ddiwedd y cyngerdd ac aethom gyda nhw i Broadway gan ddilyn llwybrau enwogion fel Hank Williams a George Jones wrth fynd i'r honci-toncs. Wrth lwc roedd mab Gail yn canu yn y Bluegrass Inn y noson honno, felly, cawsom barti da i ddathlu ein hymddangosiad ar lwyfan y *Grand Ole Oprey.*

Pe na chanem yr un nodyn arall, roeddem wedi cyflawni ein huchelgais y noson honno yn Nashville ac erbyn hyn rydym wedi canu ym mhedwar lle enwoca Nashville, sef Bluebird Café, Station Inn, Awditoriwm Ryman a'r *Grand Ole Opry.* Doedd neb arall o Brydain wedi cyflawni'r gamp hon o'r blaen.

Rhan 4

# 25 Mlynedd yn Ddiweddarach

# Y CYFRYNGAU A CHODI ARIAN

Ar ddiwedd pob blwyddyn edrychwn yn ôl gan feddwl na all y flwyddyn nesaf fod yn well na'r un a fu. Ond yn ffodus iawn i ni, byddai'r flwyddyn olynol yn dod â phrofiadau anhygoel i ni. Mae ein teithiau yn mynd o nerth i nerth ac mae Gŵyl Canu Gwlad Llandudno ar ei degfed blwyddyn eleni (2004). Rydym yn dal i recordio i Gwmni Sain a newydd gyhoeddi'n pumed albwm, sef *Llwybrau Breuddwydion* sy'n llawn caneuon gwreiddiol gan gyfansoddwyr blaengar Cymru – Tudur Morgan, Alun Sbardun Huws, Arfon Wyn ac Elfed Williams. Y tro hwn hefyd cawsom eiriau gwych gan Myrddin ap Dafydd sy'n addasiad o gân gan Tom Russell o Texas. Mae hon yn gân sy'n hanesyddol wir am Isaac Lewis o Sir Fôn a foddodd o flaen ei gartref ar long y *Royal Charter* ar lannau Moelfre. Hefyd ar yr albwm mae Iain Bradshaw wedi cyfansoddi alaw i un o'n caneuon ni ac mae dau addasiad gan Dafydd Thomos o Fangor, un ohonynt yn addasiad o gân gan Gail Davies, a'r llall yn gân gan Holly Davies, sy'n agos at fy nghalon, sef 'Dwylo 'Nhad':

Dwylo 'nhad, tyner iawn pan fyddo angen,
Dwylo 'nhad trwm fel dur wrth arbed cam,
Dwylo 'nhad bob tro yn dyner,
Nid oes angen eglurhad.
Llawn o gariad pur oedd dwylo 'nhad.

Rydym wedi ymddangos droeon yn y deng mlynedd diwethaf ar S4C ar raglenni *Heno*, *Wedi Saith*, *Gorau Gwlad*, *Y Bws Gwlad*, *Rhaglen Margaret Williams*, *Mae Ifan 'Ma*, *Penblwydd Hapus*, *Diolch o Galon* ac wrth gwrs *Noson Lawen* – yr ydym wedi ymddangos ynddi am y ddegfed flwyddyn. Mae hyn yn gamp fawr i Andy gan nad Cymraeg yw ei iaith gyntaf. Rydym wedi cael yr anrhydedd o ganu deirgwaith ar lwyfan Eisteddfod Genedlaethol Cymru, yn y Bala, Dinbych a Llangefni ac yn yr olaf cymersom ran yn y noson i ddathlu caneuon Emyr Huws Jones. Noson fythgofiadwy arall.

Do, mae teledu wedi gwneud tro da iawn â ni yn y gorffennol ond i ni yr hyn sydd wedi ein gwneud yn enwau cyfarwydd yn nhai pobl yw'r radio – Radio Cymru, Radio Ceredigion, Marcher Sounds a Champion FM. Bydd Radio Cymru yn chwarae ein caneuon bron bob dydd ac mae ein dyled yn fawr i'r cyflwynwyr ar y BBC fel Hywel a Nia, Siân Thomos, Geraint Lloyd, Dai Jones Llanilar, John ac Alun ac wrth gwrs 'yr hen goes' ei hun, Jonsi. Mae cysylltiad Eifion Jones a ni yn mynd yn ôl ymhell. Roedd yn adnabod Andy cyn i ni briodi a byddai'n gwneud disgos ar y nosweithiau pan fyddai grŵp Andy, The League of Gentlemen, yn perfformio. Fe gafodd wadd i ddod i chwarae gyda'r nos yn ein priodas yng Ngwesty Tan Dinas, Dinas Dinlle, ond yn anffodus roedd yng Nghaerdydd ar y diwrnod hwnnw.

Yn ogystal â chwarae ein recordiau cefais y fraint o gyflwyno cyfres o'r enw *Cwrdd Â'r Cerddor* gydag O P Huws o Gwmni Sain yn ei chynhyrchu. Cefais y fraint o sgwrsio â chyfansoddwyr am eu gwaith a'u bywydau: Robat Arwel, Leah Owen ac Eifion Lloyd Jones, Doreen Lewis, Gwenda Owen, Bryn Chamberlin, Annette Bryn Parry, Bedwyr a Tudur Morgan, Tudur Huws Jones, Dylan Parry a Neville o Traed Wadin, a'r dyn ei hun, Dafydd Iwan. Profiad arbennig oedd mynd tu ôl i ganeuon cyfansoddwyr llwyddiannus Cymru.

Cefais hefyd raglen awr o'r enw *Dewis* gyda Geraint Davies yn cynhyrchu. Mwynheais hon gan i mi fedru dewis caneuon oedd wedi bod yn bwysig a dylanwadol i mi yn bersonol. Cyflwynais am ychydig foreau gyda Dei Tomos pan nad oedd Hywel Gwynfryn ar gael ac rwyf wedi cael cyfweliadau droeon gan Hywel a Dai a Hywel a Nia.

Pan gyhoeddwyd ein halbwm *Eldorado* gyda chaneuon wedi eu hysgrifennu gan brif gyfansoddwyr Cymru, fe gynhyrchodd Elwyn Williams (o'r ddeuawd Emyr ac Elwyn) awr o raglen gyda'r cyfansoddwyr yn dweud eu stori tu ôl i'w caneuon. Cawsom gyngerdd yn Theatr Gwynedd pan berfformiwyd yr holl ganeuon. Roedd hi'n sioc fawr i'r genedl ac i ni'n bersonol pan fu farw Elwyn yn sydyn. Dyn annwyl nad oedd fawr tebyg iddo oedd Elwyn ac fe deimlwn ei golled yn fawr iawn, nid yn unig fel cynhyrchydd ond fel ffrind.

Rhywbeth hollol afreal i ni oedd cael trosleisio i'r Gymraeg leisiau ar gartŵn Smot y Ci. Syniad O P Huws oedd hyn a chawsom hwyl yn rhoi lleisiau ar *Nadolig Swynol Smot* a *Smot yn y Carnifal*. Fi yw Helen yr Hipo a Sali'r fam a chan fod gan Andy acen Gymraeg anarferol roedd hyn yn gweddu i'r creadur o'r jyngl – Tom y Crocodeil. Ond uchafbwynt un Nadolig oedd llais anhygoel Andy fel cwningen; swniai rywbeth fel hyn: 'Brrrrrrrrrrrrrrrr. Ooooooooooooooh.' Mwy fel Graham Norton nag Ioan Gruffydd!

Mae'n rhaid fod ein hactio wedi gadael argraff ar gynhyrchydd *Pobol y Cwm* gan i ni gael galwad ffôn yn gofyn i ni fod mewn un bennod o opera sebon enwoca Cymru. Doeddwn i ddim yn credu'r person i ddechrau gan feddwl fod rhywun yn tynnu ein coes, ond na, roedd o ddifri. Roedd am i ni fod yn ni ein hunain gan agor clwb canu gwlad yng Nghwm Deri a phan ddaeth y sgript drwy'r post roedd yn rhaid i ni ei gredu. Roedd gen i linellau i'w dweud wrth Meic Pierce a Huw Ceredig. Aethom i Gaerdydd i recordio a dyna deimlad anhygoel oedd bod yn y stiwdio gyda Cassi, Meic Pierce, Reg, Steffan, Teg a Hywel Llywelyn. Roedd yr holl ddiwrnod fel breuddwyd. Diolch i bawb a wnaeth i ni deimlo'n gartrefol gydol y dydd.

Gyda'n cysylltiadau â'r ŵyl canu gwlad yn Llandudno a'r hyn yr ydym wedi ei gyflawni yn y byd hwnnw, gofynnwyd i ni gyflwyno rhaglen canu gwlad ar Radio Marcher. Rhaglen deirawr, unwaith yr wythnos oedd hon ac fe gâi ei recordio yn y stiwdio ym Mae Colwyn. Roeddem wrth ein bodd yn gwneud hyn a fi oedd yn gyrru'r ddesg, h.y. yn newid y gryno-ddisg ac yn troi'r botymau rheoli. Nid oedd llyfrgell dda iawn o gryno ddisgiau canu gwlad yno, felly fe ymunsom â CMA (Country Music Association) yn Nashville er mwyn cael recordiau bob mis o'r caneuon diweddaraf a oedd yn boblogaidd yn America. Roedd ein rhaglen yn boblogaidd iawn ar y pryd ac fe barhaodd am bron i ddwy flynedd. Ond daeth y rhaglen i ben heb rybudd inni; ychydig a wyddem, wrth chwarae ein record olaf y pnawn Sul hwnnw, sef 'Bye Bye', mai dyna fyddai'r gân olaf inni ei chwarae ar y rhaglen!

Wrth weithio ar Marcher fe ofynnodd DJ Ian Turner i ni fod mewn sioe yn Theatr y Pafiliwn yn y Rhyl i godi arian i Childline Cymru. Roedd y noson yn llwyddiant mawr ac ar ddiwedd y noson fe'n cyflwynwyd i'r gwirfoddolwyr ac fe'n synnwyd nad oedd digon o arian i gynnal yr holl alwadau ffôn i wrando ar y plant oedd mewn angen. Felly, y noson honno, penderfynsom gario blwch casglu arian i Childline Cymru ar ein nosweithiau. Roeddem wedi recordio cân o'r enw 'Y Ffordd Adre'n Ôl' ar ein cryno-ddisg *Gwin yr Hwyrnos* sy'n ymwneud â phlant yn mynd ar goll, ac felly, bob tro y canwn y gân, byddwn yn tynnu sylw at yr elusen. Roeddem i ganu'r gân hon ar y rhaglen *Heno* ar S4C ond yn anffodus bu raid i ni newid y gân oherwydd i'r bachgen bach Jamie Bulger o Lerpwl gael ei ladd gan ddau fachgen arall. Teimlem y byddai'r gân wedi bod yn addas ar y pryd gan ei bod yn bwysig dangos cefnogaeth y genedl i'r fath drasiedi. Dros y blynyddoedd casglwyd cannoedd o arian gennym ac un flwyddyn daeth Esther Rantzen (noddwr yr elusen) i Fae Colwyn i siarad â chriw oedd yn ymwneud â Childline yng ngogledd Cymru. Rhoddom ein cryno ddisg iddi gyda'r gân 'Y Ffordd Adre'n Ôl' a diolchodd i ni am ein gwaith.

Elusen arall yr ydym wedi ei chefnogi yw Cronfa Cancr Doctor Shakawi ar gyfer unedau ac offer arbennig yn ysbytai Cymru. Yn ystod y blynyddoedd rydym wedi colli nifer fawr o ffrindiau i'r haint erchyll yma. Yn ne Cymru byddwn yn rhan o gyngherddau a drefnir gan Ifan JCB Davies a Vivien a Beryl Williams gyda'u tîm gwych, ac ar y nosweithiau yma maent yn codi miloedd o arian at yr achos. Bydd pob noson allan o'r tair yn gwerthu i gyd, bydd yna raffl enfawr, ac i goroni'r noson cynhelir arwerthiant prysur iawn – gwae neb i symud bys tra bo Ifan wrthi'n gwneud yr ocsiwn neu fe fyddwch wedi prynu rhywbeth nad oes mo'i angen arnoch! Mae haelioni'r gymuned ar y nosweithiau hyn yn anhygoel ac mae'r diolch i egni a brwdfrydedd pobl fel Ifan JCB.

Daeth yn sioc fawr i ni pan glywsom fod Gwenda Owen wedi cael cancr y fron a theimlem mor ddiymadferth i'w ei helpu a ninnau'n byw ddau gant a hanner o filltiroedd o Bontyberem. Ond fe ddaliais ati i gysylltu â hi a'r teulu ar y ffôn tra oedd hi'n mynd drwy'r holl ddioddefaint. Yn ffodus iawn fe wellodd Gwenda ar ôl blwyddyn ofnadwy ac fe benderfynodd recordio cryno-ddisg i godi arian at yr elusen. Gwahoddwyd Gillian Elisa, Siân James, Toni Carroll, Beth Roberts a minnau i recordio 'Neges y Gân' yn stiwdio Fflach yn 2000, ac am ddiwrnod hapus oedd hwnnw, gyda Gwenda wrth ei bodd yn cael gwneud yr hyn maehi mor hoff o'i wneud, sef canu.

Ymhen mis fe lwyfannodd Gwenda gyngerdd yn neuadd Pontyberem a recordiwyd ar gyfer S4C, ac unwaith eto, fe wahoddwyd ni'r merched i ganu'r gân gyda hi ar y noson. Roedd y neuadd o dan ei sang gyda phawb yn emosiynol iawn, ond dagrau o lawenydd oeddynt diolch byth. Cefais ganu cân o'r enw 'Y Rhosyn' gyda Gillian Elisa y noson honno ac erbyn hyn rwyf wedi ei recordio gyda hi ar ei chryno-ddisg o ddeuawdau gydag enwogion. Mae'r ddwy ohonom wedi dod yn ffrindiau da, cyfeillgarwch sydd wedi datblygu ers y noson honno ym Mhontyberem. Mae'n rhyfedd fel y mae rhai pethau da yn dod allan o bethau drwg.

Noson fythgofiadwy arall oedd cyngerdd i goffáu ein ffrind Cliff Parry o Gaernarfon, ac yntau hefyd wedi marw o gancr chwe mis ar ôl iddo ddod adref o'i daith gyda ni i Nashville. Cynhaliwyd y cyngerdd yng Nghlwb Pêl-droed Caernarfon i godi arian i Ward Alaw yn Ysbyty Gwynedd. Buom yn lwcus o gael Gail Davies o Nashville i rannu'r noson gyda ni. Nid oeddem wedi gweld cynifer o bobl yn y clwb yma o'r blaen – doedd dim lle i symud yno sy'n dangos cymaint o feddwl oedd gan bawb o Cliff y dyn annwyl. Codwyd mil o bunnau ar y noson ac fe roddodd Gail gyfran o elw ei gwerthiant o'i chryno-ddisgiau at yr achos hefyd.

Nid yw'r frwydr hon byth yn darfod ac mae tair dynes sy'n ein dilyn wedi cael profiad o gancr: mae Kath Roberts o Ruthun wedi goroesi ac yn edrych yn dda y dyddiau hyn; mae Gill Jones o Gorwen wedi cael ei brawychu ddwywaith ac mae Jill Owen o Gorwen yn cael triniaeth ar hyn o bryd i gael gwared ohono. Felly, mae'n bwysig ein bod yno ar gyfer y bobl hyn.

Cawsom flas ar gynhyrchu sioeau o'r enw *Blas o Gymru* mewn theatrau fel Theatr Gogledd Cymru, Theatr Gwynedd a

Theatr Ardudwy Harlech. Sioeau yn ystod yr haf oedd y rhain ac wedi eu hanelu'n bennaf at ymwelwyr. Ar y llwyfan byddem yn cyflwyno côr lleol, tenor clasurol, telynor, clocsiwr a chomedïwr, ac roedd yr artistiaid yn cynnwys Côr Maelgwn, Côr Ardudwy, Côr Llangwm a Chôr Colwyn, Trebor Edwards, John Eifion, Gwenda Owen a Gaenor, Heather Jones, Siân James, Robin James Jones, Tony Best, Glyn Owens, Y Tri Digri, Lydia Griffiths a Phil y clocsiwr. Fe wnaethom fwynhau gwneud hyn yn fawr iawn a da oedd gweld y theatrau'n llawn, sy'n profi fod angen nosweithiau fel hyn yn amlach yng Nghymru. Roedd y sioeau hyn yn dipyn o newid i ni, er ein bod wedi cynhyrchu nifer o sioeau canu gwlad yn Theatr Pafiliwn y Rhyl a Llandudno.

Fe soniais ar y dechrau fy mod wedi cael fy nylanwadu yn y chwedegau gan Dafydd Iwan, Edward H Dafis a Tony ac Aloma. Ni freuddwydiais y buaswn yn dod i adnabod y bobl hyn heb sôn am ganu a chydweithio gyda rhai ohonynt – heb Dafydd Iwan ni fyddem wedi cael cytundeb recordio gan Gwmni Sain. Mae aelodau'r band Edward H yn gweithio gyda ni erbyn heddiw: bydd Cleif Harpwood yn cyfarwyddo rhaglenni *Noson Lawen* ar S4C gyda Hefin Elis yn ein cynhyrchu ac mae Charlie Britten wedi chwarae'r drymiau i ni droeon ar yr un rhaglen yn ogystal â chwarae ar ein cryno-ddisgiau.

Pan oeddwn yn ferch fach yn mynd i gyngherddau yn y chwe degau yn Nyffryn Nantlle a'r Majestic, Caernarfon, byddwn yn dychmygu bod yn Aloma ac yn gobeithio na fyddai'n gallu canu un noson er mwyn i Tony fy ngwahodd i ganu 'Mae gen i gariad' gydag ef er mwyn i mi gael ateb 'Y fi yw honno', ond yn anffodus ni ddigwyddodd hynny! Ar ôl i flynyddoedd fynd heibio, dychmygwch fy nheimladau pan ffoniodd Aloma i'n gwahodd i ganu yn eu gwesty Gresham yn Blackpool ar ddau benwythnos mewn blwyddyn.

Mae'r rhan fwyaf o Gymry wedi treulio penwythnosau gwych yn eu gwesty ac rwyf erbyn hyn wedi canu 'Wedi Colli Rhywun sy'n Annwyl' gyda Tony. Mae'n anodd i mi beidio â chrio wrth sefyll wrth ei ochr a chlywed ei lais tenor yn gyrru ias oer i lawr fy nghefn. Mae'n bleser bod yng nghwmni y ddau ohonyn nhw ynghyd â Roy, gŵr Aloma.

# AMSER I YMLACIO

Mae nifer fawr o bobl yn meddwl fod ein bywyd ni yn un gwyliau hir rhwng sioeau. Gobeithio fod y llyfr hwn wedi dangos nad dyna yw'r gwir! Y dyddiau hyn byddwn yn codi'n fore – rhywbeth nad oeddem yn ei wneud yn ein dyddiau cynnar oherwydd yr oriau hwyr yn dod adref – ac yn mynd i'n swyddfa yn y tŷ. Mae trefnu digwyddiadau, gwyliau gyda ni yn eu tywys, dysgu caneuon a mynd allan i ganu yn mynd â bron bob awr o'n diwrnod. Nid ydym erioed wedi cael ysgrifenyddes na chynorthwywyr i osod ein system sain – rydym wedi gwneud popeth ein hunain. Er hyn i gyd byddwn yn gwneud yn siŵr ein bod yn cael amser i ymlacio ac i fod yn Mr a Mrs Boggie.

Mae Andy wedi bod â diddordeb mewn pob math o chwaraeon ers yn blentyn. Byddai'n chwarae tenis yn erbyn wal ei dŷ yn erbyn chwaraewyr enwog y dyddiau hynny a minnau'n gwneud yr un fath yn Nantlle. Byddai hefyd yn chwarae pêl-droed yn y cae tu cefn i'w dŷ ym Mhenmaenmawr gyda'i ffrind Peter Brook, yn ogystal â chwarae criced – fo oedd Sir Gaerhirfryn a Peter oedd Sir Efrog! Hoffwn innau yn fy mhlentyndod chwarae pêl-droed a rowndars ar y cae chware tu ôl i'n tŷ ni yn Nantlle.

Pan gyfarfûm gyntaf ag Andy byddwn yn ei gyfarfod yn y clwb sboncen ym Mae Colwyn ar nos Fawrth. Byddai wrth ei fodd yn chwarae'r gêm yma ond pan oedd yn nesáu at y deugain oed prynodd ei fam glybiau golff iddo. Nid oedd hi'n hapus iawn ei fod yn chwarae sboncen oherwydd syrthiodd ei gefnder yn farw wrth ei chwarae pan oedd yn 35 oed. Mae Andy'n hoffi chwarae golff ond nid yw'n dda iawn meddai o! Chwarae'n debyg i Ian Woosnam mae o yn fy marn i, mynd amdani bob tro a byth yn ddigon gofalus. Dyn felly yw Andy! Pan oeddem yn byw yng Nglan Conwy byddai'n chwarae golff bob dydd Mawrth gyda'i ffrindiau Stewart a Jed cyn mynd i glwb i chwarae snwcer ac yna byddwn i'n ei nôl adref am un ar ddeg o'r gloch y nos – dyna oedd gwir ddiwrnod o ymlacio i Andy.

Hoffai Andy chwarae pêl-droed yn rheolaidd ar fore Sadwrn cyn iddo gyrraedd ei dridegau ond sylweddolodd efallai nad oedd yn ddigon ifanc i chwarae mwyach ar ôl iddo fethu â symud am wythnos ar ôl chwarae gêm gyda'i ffrindiau un noson o haf. Mae'n cael cymaint o bleser yn gwylio'r gêm ac mae'n ffyddlon iawn i'w dîm Tranmere Rovers. Bydd yn mynd weithiau gyda Glyn Owens i'w gweld yn chwarae ym Mhenbedw a hefyd yn mynd i gefnogi ei ail ddewis, sef tîm pêl-droed Lerpwl, gyda Cled.

Ond ei hoff gamp yw rasys ceffylau. Sylweddolais hyn pan aeth â fi ar ein mis mêl i weld rasys ceffylau yn Cheltenham. Doeddwn i erioed wedi bod o'r blaen ac yn gwybod dim amdanynt ond doedd dim amdani ond dechrau dysgu. Mae Andy'n gwybod popeth amdanynt: pwy yw'r perchennog, yr hyfforddwr, y jocis, brid y ceffyl – y cwbl lot – felly fe fu raid i minnau ddangos rhyw fath o ddiddordeb. Wrth deithio'r wlad yn canu yn ein dyddiau cynnar, aethom i weld rasys mewn llefydd hyfryd ym Mhrydain fel Pontefract, Catterick, Ripon a Thursk yn Swydd Efrog yn ogystal â Newmarket a Windsor. Does dim i guro bod allan yn yr awyr iach ar ddiwrnod braf ond nid oes unlle gwaeth na bod ym Mangor Is-Coed ar b'nawn gwlyb, gwyntog a dim un o'ch ceffylau chi'n ennill.

Mae ein bywyd ar y ffordd wedi fy ngalluogi innau i siopa ym mhob cwr o Brydain. Ond er ei fod yn un ffordd o ymlacio i mi, nid felly i Andy, er ei fod yn dda am ddweud beth sy'n gweddu i mi wrth ddewis dillad. Yn anffodus, mae'r siopau ym Mhrydain yr un fath i gyd, yr un rhai a welwch ymhob tref er bod ambell le yn fwy pleserus i dreulio prynhawn ynddo. Mae Caerwysg (Exeter) lawr yn Nyfnaint yn ddinas ddiddorol, yn ogystal â Chaergrawnt a Rhydychen. Mae'n anodd dod o hyd i le i barcio yn Peterborough ond mae yno siop John Lewis dda, ac mae gan Stamford wedyn siopau ychydig yn wahanol, yn enwedig adeg y Nadolig. Mae caffis Betty's Tea Rooms yn Efrog a Harrogate yn hyfryd, ac mae Caeredin ac Aberdeen mor fawr gyda digon o ddewis i bawb. Mae esgidiau da i'w cael yn Kendall yn ardal y llynnoedd ond does unlle i guro'r ganolfan yn Street yn Nyfnaint. Fan'ma ydy canolfan esgidiau Clarks ac mae yna filoedd o siopau esgidiau yno yn ogystal â siopau eraill – gallwn dreulio wythnos yn y lle (heb Andy!). Os hen bethau sy'n mynd â'ch bryd, yna Helmsley yn Swydd Lincoln yw'r lle i chi, ond gofalwch fod gennych ddiwrnod cyfan i fynd o amgylch y lle hwn; mae yna drysorau lu yno. Daethom â dwy gadair ledr werdd oddi yno yng nghefn ein fan unwaith ac fe ddes ar draws cwpan a soser o Gymru oedd yn debyg i rai Nant Garw.

Mae gan dref farchnad Caerfyrddin ddigon o siopau amrywiol hefyd a phan fyddwn wedi bod yn canu yn ne Cymru ac yn dod adref ar hyd arfordir gorllewinol bendigedig Cymru byddwn bob amser yn treulio awr yn Aberaeron gan gael hufen iâ ar y cei wedi ei wneud â mêl.

Wrth lwc mae'r ddau ohonom yn hoff iawn o deithio. Er ein bod yn teithio miloedd o filltiroedd yn gweithio byddwn yn dal i hoffi gyrru'r car i wledydd Ewrop. Rydym wedi cael gwyliau difyr yn Awstria, yr Eidal a'r Almaen ac wrth gwrs ein hoff le yw de-orllewin Ffrainc lle treuliodd Andy flwyddyn fel rhan o'i gwrs Ffrangeg ym Mhrifysgol Bangor. Awn i Ddyffryn y Lot a'r Dordogne lle mae'r hinsawdd yn fwyn y rhan fwyaf o'r flwyddyn ond yn grasboeth yn yr haf. Mae gan Andy atgofion hapus iawn o fod yn nhref Cahor ar y Lot a phob tro yr awn yno mae'n dangos yr ysgol fawr lle dysgai, a ffenest yr ystafell lle roedd yn byw am fisoedd yn fachgen ugain oed. Rwyf innau wedi dod i garu'r ardal hon bron gymaint ag o erbyn hyn.

Mae'r holl deithio i Ewrop wedi dweud ar lawer i gar oedd gennym ond y gwaethaf oedd yn 2003 pan fu raid i ni ymweld â dwsinau o garejis gyda'n Landrover Discovery gan fod gennym broblem gyda'r brêcs. Dechreuodd yr holl beth ar yr M6 ger Birmingham gyda sŵn aruthrol yn dod ohonynt. Awgrymodd y dyn garej yno i ni droi'n ôl am adref, ond nid oedd yn ein hadnabod ni o gwbl, a chan iddo ddweud nad oedd yn rhy beryglus fe aethom yn ein blaen. Pan gyrhaeddsom Cahor edrychai pawb arnom gan fod cymaint o sŵn ar ein cerbyd. Dysgodd Andy nifer o dermau Ffrangeg am rannau'r Landrover yr haf hwnnw! Fe gyrhaeddsom adref yn ddiogel ond fe newidiom yr hen Landrover ac erbyn hyn mae gennym Suzuki Grand Vitara yn ein cludo i bobman.

Mae cael teithio i Ffrainc yn ein galluogi i fwynhau un o'n pleserau eraill, sef gwin coch. Bu Andy'n gweithio am flwyddyn fel ymgynghorydd gwin ac mae'n arbenigwr arno. Does dim gwell na gwin Bordeaux, Saint Emilion a Vin de Cahor. Rydym wedi ymweld â nifer o'r gwinllannoedd ar ein gwyliau yn Ffrainc ac mae'n dda cael cerbyd go fawr i ddod â digon ohono adref i'w yfed dros fisoedd oer y gaeaf. Pan agorwn botel ar noson dywyll, wlyb ym mis Ionawr daw'r holl atgofion am yr haul a'r ardal lle y prynwyd y botel yn ôl i ni yma yn Chwilog.

Un o'r ffyrdd yr ydym yn ymlacio ar ein nosweithiau prin pan fyddwn gartref yw trwy goginio. Byddwn wrth ein bodd gyda rhaglenni a llyfrau coginio ac yn aml byddwn yn paratoi pryd arbennig ac agor potel o win coch. Er ein bod yn hoffi bwyd crand nid oes dim i guro lobsgows a byddwn yn byw arno am dridiau o'r bron yn ystod y gaeaf. Hoffwn wneud cawl ar fore Llun gan ddefnyddio'r llysiau dros ben o'r cinio dydd Sul, ac mae'r cinio hwn yn bryd arall y mae'r ddau ohonom yn ei hoffi'n fawr. Rydym yn lwcus iawn yma yn Chwilog o gael cigydd ardderchog yn Dafydd Povey.

Er bod gennym ardd fawr nid yw'r un ohonom yn hoff iawn o arddio. Ydym, rydym yn hoff iawn o eistedd ynddi ar ddiwrnod poeth o haf yn edrych ar bopeth ond mae garddio fel smwddio i mi. Mae'n mynd â gormod o amser i'w wneud ac ar ôl i chi orffen mae'n bryd ailddechrau eto! Tasg ddiddiwedd os bu un erioed!

Un o'r pethau gorau yr ydym wedi buddsoddi ynddynt yn y deng mlynedd diwethaf yw ein hesgidiau cerdded. Mae'r rhain wedi mynd â ni i lefydd nas gwelir drwy ffenest car. Yr esgidiau cerdded yma fydd yn mynd gyntaf i'r car pan ydym yn teithio i unrhyw le – boed i ganu neu ar wyliau. Mae yna nifer o lefydd yn yr Alban lle buom yn cerdded ynddynt dros y blynyddoedd. Rydym yn lwcus o fyw ger Eryri a Llŷn ac yn byw o fewn tafliad carreg i'r Lôn Goed enwog. Byddwn yn gwisgo'n hesgidiau ar b'nawniau gan weld pa mor bell y gallwn droedio arni gan geisio mynd ymhellach bob tro. Un o fy hoff lefydd cerdded yw o amgylch Mynydd Mawr a Llyn Ffynhonnau yn ardal Kate Roberts. Gallwn roi'r byd yn ei le yno pan ydym yn teimlo fod pethau'n ormod weithiau. Bydd Capel Curig a Beddgelert yn ein denu hefyd ac un tro wrth gerdded ym Meddgelert sylwom fod yna ffotograffwr yn tynnu lluniau o'r mynyddoedd a'r afon. Y flwyddyn ganlynol pan welsom bamffled gan y Bwrdd Twristiaid am Feddgelert dyna lle roeddem ni'n dau ar flaen y pamffled. Adnabûm fy nghôt felen a'r hetiau ar ein pennau! Dyna i chi enwogrwydd!

Yn ystod y gaeaf byddwn yn hoffi ymweld â dinas yn Ewrop, ac yr un mae'r ddau ohonom wedi cymryd ati'n fawr yw Fflorens yn yr Eidal. Mae dysgu am y Dadeni ac am fawrion fel Michelangelo, Leonardo Da Vinci, Titian, Botticelli a hanes y teulu Medici wedi cydio yn y ddau ohonom. Mae holl adeiladau'r ddinas yn wefreiddiol ac mae gweld gwaith yr artistiaid yn yr Uffizi yn anhygoel. Pan wêl Andy lyfr am unrhyw gysylltiad â'r ddinas mae'n ei brynu, ac mae'n obsesiwn bron erbyn hyn, a dwi'n taeru y dylai fynd ar *Mastermind* ar y pwnc. Ond fe wnaeth wireddu breuddwyd o dywys parti o 16 o bobl o amgylch y ddinas hyfryd hon yn ddiweddar, sef criw da o bobl alluog, o farnwr a rheolwr banc i gyn-swyddog yn y Llynges – pobl ddiddorol a difyr iawn i fod yn eu cwmni.

Ar un o'n hymweliadau â Fflorens, wrth yfed siocled poeth tu allan i Café Rivoire yn hwyr y nos dan leuad llawn ar sgwâr hyfryd Piazza de Signoria, clywsom gerddoriaeth fendigedig yn dod o arcêd yr Uffizi. Miwsig *concerto* ffidil oedd yn treiddio drwy'r adeiladau hanesyddol a bu raid i ni fynd i weld beth oedd yn digwydd. Gŵr ifanc, anniben yr olwg, oedd yno'n chwarae ei ffidil i griw o bobl oedd yn ei werthfawrogi. Arhosom ninnau i amsugno'r awyrgylch y noson honno. Drwy gydol y flwyddyn wedyn ni allem gael y gerddoriaeth allan o'n pennau ond gan nad oeddem yn gwybod beth oedd y darn fe wnaeth hyn bethau'n anodd i ni ddod o hyd iddo ar gryno-ddisg. Y flwyddyn ganlynol aethom yn ôl i Fflorens ac yn wir i chi dyna'r union gerddoriaeth yn dod o'r union fan y tu allan i'r Uffizi yn hwyr y nos. Y tro hwn roedd ganddo gryno-ddisg ac felly dyma'i phrynu. Remsky oedd enw'r creadur tlawd yr olwg ond chwaraeai fel angel, a'r gerddoriaeth oedd 'Albinoni *Concerto*' i ffidil ac organ. Dyma i chi wyth munud o'r gerddoriaeth dristaf a glywch chi byth.

Gan i mi astudio cerddoriaeth ar gyfer Lefel A rwy'n gwerthfawrogi cerddoriaeth glasurol a byddwn yn chwarae pob math o fiwsig gartref. Fe awn i gyngherddau ymhell ac agos ac nid bob amser gyngherddau canu gwlad. Er mai ein bywoliaeth yw cerdd mae'n dal i roi cymaint o bleser i ni. Mae chwaeth y ddau ohonom rywbeth yn debyg ond weithiau rydym yn anghytuno. Gan i Andy gael ei fagu yn y pum a'r chwedegau mae roc-a-rôl yn ei waed ond yn anffodus nid yw ynof i. Prynodd gryno-ddisg Carl Perkins a recordiwyd yn stiwdio Sun Records, Memphis, ond roedd dwy gân yn ddigon i mi – maent i gyd yr un fath!

Un canwr mae'r ddau ohonom yn hoff iawn ohono yw Patrick Fiori o Corsica. Prynsom ei gryno-ddisg pan oeddem ar wyliau yn Ffrainc. Dechreuodd ei yrfa fel canwr yn y sioe gerdd *Notre Dame de Paris* ac erbyn hyn mae wedi dod yn boblogaidd yn y wlad fel canwr pop. Mae ganddo goblyn o lais ac mae'n olygus iawn. Roeddem yn lwcus tra oeddem ar ein gwyliau yn Ffrainc o gael ei weld mewn cyngerdd awyr agored yn Chartres. Dyma un o'r cyngherddau gorau yr ydym wedi'i fynychu erioed.

Cyngerdd bythgofiadwy arall oedd pan ddaeth grŵp yr Eagles i Brydain yn y nawdegau a chan ein bod wedi eu dilyn ers dyddiau coleg fe aethom yr holl ffordd i Huddersfield lle roeddent yn perfformio yn y stadiwm pêl-droed yno. Daeth fy chwaer Sioned gyda ni a'r tro hwn roedd yr haul yn gwenu ar bawb. Roedd ugain mil a mwy yno'n canu eu holl ganeuon llwyddiannus nerth eu pennau. Dyna i chi brofiad arall anhygoel.

Ychydig o flynyddoedd yn ôl fe benderfynsom roi'r gorau i'r holl deithio ac agor cwmni teithio yng Nghricieth. Camgymeriad mawr oedd hyn gan i Fedi'r 11eg ddigwydd fel yr oeddem yn agor a newidiwyd y byd teithio'n gyfan gwbl. Nid oeddwn i'n hoffi mynd i'r swyddfa bob dydd ac er bod Andy'n wych am wneud y gwaith, gwyddem mai dau ysbryd yn ceisio bod yn rhydd oeddem. Roedd gennym siop ddel iawn yn y dref ond dim llawer o gwsmeriaid. Canwn bob penwythnos ac felly ni chawsom amser hamdden am flwyddyn a hanner gan weithio saith diwrnod yr wythnos. Bu raid i ni roi'r gorau i'r swyddfa deithio, gan i ni sylweddoli ein bod yn gweld eisiau mynd tu ôl i olwyn car a chario'r gêr i mewn i neuadd a chanu i bobl oedd yn ein gwerthfawrogi, ac nid oedd dim amser i fynd i gerdded na chymdeithasu o gwbl. Roedd hi'n anodd gweld fy mam a fy chwaer a'i gŵr Richard sy'n byw yn Sir Fôn ac yn briod ers pum mlynedd. Mae Sioned yn lwcus o gael gŵr sy'n gallu troi ei law at unrhyw beth ac yn arbenigo mewn gwaith coed gwych – dim ond newid plwg y gall Andy ei wneud!

Bydd ein ffans – sydd yn ffrindiau erbyn hyn – yn mynd â ni allan am ginio 'Dolig bob blwyddyn gan ein difetha'n lân. Mae hyn yn cael ei drefnu gan Jill Owen o Gorwen, sydd yn anffodus newydd ddychwelyd o'r ysbyty ar ôl llawdriniaeth at gancr. Mae wedi gwella diolch byth ond yn cael cemotherapi rhag ofn. Rydym yn croesi'n bysedd y bydd Jill yn ôl yn iach yn fuan, ac y cawn ei gweld unwaith eto yn un o'n nosweithiau. Mae'n cael pleser meddai hi o siarad â phawb ar y ffôn, felly dwn i ddim faint yw ei bil ffôn hi! Mae ein ffans yn unigryw iawn yn gwneud y fath beth i ni a bydd pawb yn edrych ymlaen at ddiwrnod y cinio 'Dolig erbyn hyn. Dyna beth yw diwrnod o ymlacio.

# Y GAIR OLAF

Yn 1999 fe waethygodd iechyd mam Andy a bu raid iddi fynd i gartref hen bobl yn Llandudno. Ei dewis hi oedd Llandudno gan iddi dreulio cymaint o amser gyda thad Andy yno a hefyd Llandudno oedd y dref agosaf iddi fynd i siopa pan oedd yn byw ym Mhenmaen-mawr. Teimlai'n ddigon cartrefol yno gan fod y cartref yn cael ei redeg gan ddynes o Benbedw, sef y dref y magwyd hi ynddi. Roedd y lle hefyd rownd y gornel oddi wrth fy mam innau sydd yn anffodus yn gaeth i'w chartref oherwydd osteoporosis. Mae hyn yn achosi pryder mawr i ni ond mae fy mam yn lwcus o gael Mrs Nel Jenkins yn byw drws nesaf iddi; mae hi'n galw i mewn bob dydd ac yn gwmni da iddi. Gwaethygodd iechyd Lu (mam Andy) a bu farw ym mis Tachwedd 2000 yn 87 oed. Roedd Andy'n ddewr iawn yn rhoi araith wych yn ei chynhebrwng gan roi clod mawr i'w fam. Fo oedd ei hunig blentyn.

Rydym yn byw yn Chwilog ers pum mlynedd erbyn hyn, a gofynnir i ni'n aml, 'Pam Chwilog?' Pan oeddwn yn blentyn yn Nyffryn Nantlle byddwn yn dod i'r ardal droeon gydag Anti Madge a Rhian yn eu car a chael hufen iâ Cadwaladr yng Nghricieth, mynd i weld bedd Lloyd George yn Llanystumdwy ac yna 'mlaen i Bwllheli i gael india roc *No 8*. Felly nid ardal newydd yw Eifionydd a Llŷn i mi. Buom yn lwcus o gael tŷ bendigedig ger y Lôn Goed ac mae'r bobl yn agos iawn atom.

Mae ein byd yn dal mor gynhyrfus, y teithio a'r canu yn ein cadw'n ifanc, er ei fod weithiau'n dweud ar y corff ond nid ar ein hysbryd. Ym mis Hydref 2004 buom yn Westport, Swydd Mayo yn Iwerddon, gyda dau lond bws. Ym mis Mai 2005 byddwn yn teithio i Ganada gyda phedwar ugain o'n cefnogwyr ac yn gobeithio canu gyda'n hen ffrind Geordie West yn Calgary. Rydym yn cynnal penwythnosau cerddorol ddwywaith y flwyddyn yn y Queens yn Llandudno. Bydd Gŵyl Canu Gwlad

Llandudno yn dathlu ei degfed blwyddyn eleni (2004) ac rydym am ddal ati i'w threfnu a'i harwain tra bônt ein hangen. Byddwn yn ymddangos unwaith eto ar *Noson Lawen* S4C ac mae ein recordiau'n dal i gael eu chwarae ar y radio. Parhau mae ein bywyd prysur! Ys dywedir yng ngeiriau'r gân 'Ffyla' gan Tudur Morgan ar ein cryno-ddisg *Llwybrau Breuddwydion*:

> Fel 'ffyla gwyllt ar garlam ar y daith,
> Fel fflam y ffydd fu'n llosgi unwaith,
> Fel pob car a chymar ar y daith,
> Fel dawns y daith drwy ddafnau'r gwlith.

Er bod ein bywyd yn gyffrous nid pawb fyddai'n newid byd â ni. Roeddwn yn cael cyflog gwell pan oeddwn yn athrawes ac nid yw gorfod canslo gwaith oherwydd gwaeledd yn rhywbeth yr ydym yn hoffi ei wneud gan na fydd yna'r un geiniog yn dod i mewn wedyn. Roedd hi'n amser anodd i ni yn ogystal â'r ffermwyr a'r gwestai cefn gwlad yn ystod clwy'r traed a'r genau ac ni wn sawl cyngerdd a gafodd ei ohirio.

Mae'n anodd ar adegau gadael tŷ cysurus ar noson dywyll, oer yng nghanol gaeaf i fynd i ganu ond byddwn yn dweud wrth ein gilydd, 'Dyma ydan ni'n ei wneud.' A phan ddechreuwn ganu a gweld y gynulleidfa'n canu pob gair gyda ni gan eu bod wedi eu clywed ar y radio neu wedi prynu'r gryno-ddisg, mae'n werth bob milltir o drafaelio. Yr unig beth yr ydym wedi cwtogi arno yw teithio i Loegr a'r Alban gan fod pris y petrol a'r gwestai wedi codi'n afresymol ac yn anffodus nid yw ein ffi wedi codi'n gyfatebol. Peidiwch â chredu neb pan ddywedant wrthych am fynd i Loegr i ennill yr arian mawr; does dim arian mawr i'w gael yno, wel dim yn y byd canu gwlad 'ta beth. Rydym yn ddiolchgar iawn i'r wasg canu gwlad am eu cefnogaeth selog, ac yn arbennig i Tony Coates am ei holl ysgrifennu amdanom yn y byd canu gwlad dros y blynyddoedd.

Dathlodd Andy ei ben-blwydd yn drigain oed yn 2004 a chafodd benwythnos o ganu yng nghwmni artistiaid a chant o ffrindiau yn y Queens yn Llandudno. Rwyf wedi gweld ychydig o newid yn ei agwedd tuag at rai pethau ar ôl cyrraedd y garreg filltir hon. Mae am dderbyn popeth a pheidio gwrthod dim. Dywed ei fod yn edrych ar ei fywyd yn wahanol gan fod cynifer o'n ffrindiau wedi gadael yr hen fyd yma cyn iddynt gyrraedd eu trigain.

Edrychwn yn ôl â balchder a rhyfeddod ar y chwarter canrif o ganu gyda'n gilydd, y llwyfannau byd-enwog yr ydym wedi canu arnynt a'r bobl yr ydym wedi'u cyfarfod. Mae'n bleser cael dweud bod ein ffrindiau yn cynnwys Charlie Landsborough, Gail Davies, Raymond Froggatt, Mary Duff, Brendan Shine i enwi dim ond rhai. Dyma bennill o brif gân ein cryno-ddisg ddiweddaraf *Llwybrau Breuddwydion*:

> Nid enwogrwydd oedd ein bwriad,
> Dim ond canu cân neu ddwy,
> Dilyn llwybrau ein breuddwydion,
> Rhoi mwynhad i'n ffrindiau ni.

O edrych yn ôl ni allem fod wedi dychmygu'r holl bethau da yr ydym wedi eu gwneud. Credwch neu beidio, dau blentyn bach swil oedd Iona ac Andy yn Nantlle a Phenmaen-mawr a'r ddau ohonom o gefndir tlawd iawn. Cofiaf ddarllen llyfr Barbara Taylor Bradford, *A Woman of Substance*, am ferch ifanc yn dechrau ei bywyd fel gweinyddes dlawd ond yn gorffen ei bywyd yn berchen ac yn rhedeg busnes llwyddiannus gwerth miloedd. Rhoddodd hyn obaith i rywun fel fi; os oes gen i syniad yn fy mhen mae'n rhaid i mi drio ei weithredu a dwi wedi dod o hyd i un sydd yr union yr un fath, ac ia, Andy ydy hwnnw.

Rydym yn lwcus iawn o gael ffans ffyddlon iawn; ni fyddem yn gallu gwneud dim heb gynulleidfa. Y nhw sy'n bwysig. Y nhw sy'n ein cadw ni i fynd ac yn ein hysgogi i ddal ati. Rydym yn ddiolchgar iawn i bawb sydd wedi bod yn ein cyngherddau ni ac wedi teithio dros y môr i gael eu gwyliau yn ein cwmni. Mae yna un ffan bach o'r enw Gareth Wyn sy'n mynd i ysgol Pendalar, Caernarfon, i blant o dan anfantais ac mae ef, gymaint â neb, yn rhoi ysbrydoliaeth i ni gario ymlaen. Er nad oes ganddo iaith lafar mae'n gallu dehongli ei deimladau ac mae ein cân 'Eldorado' wedi dod yn brif linell gyswllt rhyngom. Os na chanwn y gân hon nid yw Gareth yn mynd adref yn hapus iawn, felly, tra bydd ef am i ni ganu 'Eldorado', fe ddaliwn i droedio llwybrau ein breuddwydion.

Chwarter canrif o ganu, chwarter canrif o gân, chwarter canrif o garu … ond tydi'r gân heb orffen eto.

### Pwt gan Andy am Iona

Gofynnir inni droeon sut y medrwn dreulio'r holl amser gyda'n gilydd heb gweryla na mynd o dan groen ein gilydd. Mae'n wir nad ydym ar wahân fawr ond rydym yn cyd-dynnu'n rhyfeddol o dda ac anaml iawn yr ydym yn anghytuno'n ddifrifol am ddim byd. Yn wir, hyd yn oed os ydym ar wahân am ychydig oriau mae fel petai gennym lwyth i'w ddweud wrth ein gilydd. Rydym wedi dod mor agos nes ein bod wedi magu rhyw fath o delepathi, a ninnau'n meddwl yr un peth ar yr un pryd a hyd yn oed yn mwmian yr un caneuon. Ni all fod yn ddim byd ond cariad. Er ein bod yn y bôn yn wahanol iawn o ran natur ac o ran ein magwraeth, eto mae fel petai ein dau berson yn cyfannu ei gilydd i'r fath raddau nes y teimlwn ein bod yn ddau hanner i un cyfan.

Sut yn y byd mae dechrau disgrifio'r ferch ryfeddol hon yr ydw i wedi treulio gymaint o amser gyda hi yn ystod y pum mlynedd ar hugain diwethaf?

Gallaf ddweud, â'm llaw ar fy nghalon, nad ydw i erioed, drwy'r holl flynyddoedd yr wyf wedi bod yn ei chwmni, wedi diflasu ar ei chwmni na chael llond bol arni. Er ei bod yn byw ei bywyd yn unol â'i moesoldeb a'i chredoau Cristnogol cryf, eto does dim dal arni ac mae'n fy nghyfareddu gan na allaf fyth rag-weld be wnaiff hi nesaf na beth ddywedith hi nesaf. Enghraifft o hyn yw pan af i'r bar i nôl diod iddi – mae'n rhaid i mi wastad ofyn iddi be hoffai oherwydd os na wnaf rwy'n siŵr o ddod â'r peth anghywir, beth bynnag gafodd hi i'w yfed cyn hynny. Mae hi'n berson caredig a haelfrydig, wastad yn gyrru cardiau at bobl yn diolch iddynt neu'n cydymdeimlo â'u problemau, ac mae'n ffrind da i'r rheiny mae hi'n hoff ohonynt. Ar y llaw arall, gall fod yn elyn milain ac mae'n cymryd tipyn o amser iddi faddau i rywun sydd wedi gwneud cam â hi. Mae'r cariad angerddol sydd ganddi tuag at ardal ei genedigaeth,

Nantlle, dan gysgod Eryri yn deillio o dreulio cymaint o amser yno'n cerdded ac yn dysgu gyda'i thad annwyl. Er hynny mae'r gwaed sipsi Lee sydd ynddi o ochr ei mam yn golygu fod crwydro yn ei gwaed. Mae wrth ei bodd yn cael pethau dymunol o'i chwmpas ac mae'n prynu rhywbeth o bobman yr awn, ac yn gwybod yn union ble a phryd y prynodd bopeth hefyd. Mae'n hoff o ddillad da a phan gaiff hi hanner cyfle mae'n fy llusgo rownd siopau Caer, Efrog ac ati. Er nad oes ganddi fawr o ddiddordeb mewn chwaraeon, mae hi'n goddef fy hoffter i ohono, chwarae teg iddi, gan geisio dangos rhyw fath o diddordeb – oni bai am griced lle mae ei hamynedd yn pallu! Mae'n hi'n berson glân a thaclus iawn (fel ei mam) ac yn gwarafun bodolaeth unrhyw smotyn o lwch; mae wedi gorfod dioddef dipyn gyda mi gan mai fi yw un o'r bobl fleraf ym Mhrydain mae'n siŵr. Nid fy mai i ydi o; dwi'n ceisio fy ngorau ond does dim yn tycio. Mae fy nillad wastad a staen bwyd arnynt, mae fy nesg yn gawdel llwyr ac i goroni'r cyfan rydw i'n chwyrnu bob nos. Duw a ŵyr sut a pham mae hi'n fy ngoddef, ond diolch byth ei bod hi.

Ni all yr un ohonom feddwl am fywyd heb y llall. Iona ac Andy fu hi am 25 mlynedd a gobeithio y bydd hi felly hefyd am o leiaf y 35 mlynedd nesaf.

### Pwt gan Iona am Andy

Wrth edrych yn ôl ar gefndir y ddau ohonom ni ddylem fod wedi priodi o gwbl. Ni ddylai Iona Roberts o gefndir Cymraeg crefyddol byth fod wedi bod gydag Andy Boggie BA Prifysgol Cymru, y dyn clyfar, y bwci a'r anffyddiwr (agnostig)! 'Na, fydd y briodas byth yn gweithio,' medden nhw. Ond dyna'n union wnaeth hi ac mae'n dal i weithio'n dda iawn.

Mae Andy'n wahanol iawn i mi mewn nifer o bethau. Nid yw'n ddyn materol – mae'n gadael hynny i mi! Bydd wrth ei fodd yn canu roc-a-rôl yn uchel ar y nosweithiau swnllyd a gawn. Dwi'n casáu hynny; rhowch gyngerdd i mi unrhyw ddydd! Fi ydy'r un sy'n poeni am bethau bach ond y llun mawr mae o'n ei weld.

Ers i ni gyfarfod dros 25 o flynyddoedd yn ôl mae o wedi

newid llawer. Soniais nad oeddwn yn or-hoff ohono pan gyfarfu'r ddau ohonom. Dyn uchel ei lais oedd o bryd hynny, yn llawn hunanhyder a chyda thipyn o dymer. Gwae unrhyw un a'i croesai ar nos Sadwrn mewn sioe ar ôl iddo fod yn ei waith fel bwci drwy'r dydd, yn enwedig ar ddiwrnod y Grand National! Hoffwn feddwl fy mod wedi ei ddofi ac rŵan fi yw'r un sy'n cynddeiriogi pan nad yw pethau'n iawn i mi ar lwyfan. Mae o'n gallach o lawer na fi. Mae ganddo ddigon o amynedd tra wyf i am i bethau ddigwydd ddoe. Gallai lenwi amser yn y dyddiau cynnar yn gwneud dim byd o bwys, dim ond mynd â ni i'r gìg nesaf. Erbyn heddiw nid yw'n aros am seibiant yn ystod y dydd. Mae'n rhaid iddo orffen popeth y diwrnod hwnnw os gall.

Dyn pen yw Andy; nid yw'n ymarferol o gwbl. Os nad yw'n gweithio, bydd ei ben mewn llyfr. Mae yma ddigon o lyfrau i agor llyfrgell yn ein tŷ ni os oes gan rywun ddiddordeb mewn llyfrau – John Le Carré, Len Deighton, llyfrau ysbïwyr, llyfrau hanes, celfyddyd (megis y Dadeni a theulu'r Medici yn Florence) a llyfrau teithio. Mae ei wybodaeth yn eang; gall ateb cwestiynau ar *University Challenge* a *Mastermind*.

Mae gan Andy amser i bawb ac mae'n meddwl yn dda o bawb hyd nes iddynt brofi'n wahanol. Dyn hapus yw; bydd ei wydr yn hanner llawn tra bydd fy un i yn hanner gwag. Bydd bob amser yn rhoi cant y cant o'i egni i bopeth. Nid yw am glod a chyhoeddusrwydd ond mae'n haeddu mwy nag mae'n ei gael.

Mae am wneud popeth yn gywir ac fe'i hedmygaf pan fo'n canu yn y Gymraeg gan mai ail iaith iddo yw. Nid yw am gael acen Saesneg wrth ynganu geiriau Cymraeg. Gofynnwch iddo am y gair 'trosglwyddwyd' – mae o'n gorfod ei ganu mewn un gân! Tybiai nifer yng Nghymru fod gennyf ŵr distaw iawn gan nad ydynt yn ei glywed yn cyflwyno cân ar *Noson Lawen* ar S4C nac yn siarad ar Radio Cymru; y rheswm am hyn yw unwaith eto nad oes ganddo'r hunanhyder i'w wneud yn iawn. Mae gwneud camgymeriad yn ei wylltio.

Fo yw fy ffrind pennaf, yr un dwi'n dweud popeth wrtho; dwi'n ddiolchgar am bopeth mae o wedi'i wneud i mi yn enwedig yn ystod y cyfnod pan oeddwn yn wael. Fo yw fy nghariad ac erbyn hyn fo yw fy enaid.

Rydym yn canu geiriau cân gan ganwr-gyfansoddwr o America, sef Tim O'Brian, a byddwn yn eu canu fel petai wedi eu hysgrifennu ar gyfer y ddau ohonom ni; 'Like I Used To Do' yw'r teitl. Mae'n crynhoi ein perthynas i'r dim. Andy fydd yn canu'r pennill cyntaf a minnau'r ail:

There was a time when we'd be the last to leave,
Watching the sun come up when everyone fell asleep,
The music was always loud, I'd always drink too much,
Then I'd fall in your arms and into your loving touch.
Then as the years go by, time has reeled me,
I've slowed down a notch or two from the way things were then.

*Cytgan*
Those old ways of mine I've left them behind,
Those crazy days are through,
The only thing I still do like I used to do
Is carry this torch for you.

Remember the days we'd pack our bags and run,
Chasing some crazy dreams into the morning sun,
Now as the twilight falls, I find I'm satisfied
Watching the fire glow, just as long as you're by my side.
Here in my heart, it seems time has passed me by,
I love you as much today as the very first time.

I still want you the way I wanted you then.
If I could do it all over I'd do it all over again.